略傳

一九一五年六月：夢參老和尚出生於中國黑龍江省開通縣。

一九三一年：在北京房山縣上方山兜率寺，依止慈林老和尚剃度出家，法名為「覺醒」。但是他認為自己沒有覺也沒有醒，再加上是作夢的因緣出家，便給自己取名為「夢參」。

同年在北京拈花寺受比丘戒，戒期圓滿，南下九華山，朝禮地藏菩薩道場，正遇上六十年舉行一次的開啓地藏菩薩肉身塔法會。由於因緣殊勝，為老和尚爾後弘揚地藏法門種下深遠的影響。

一九三二年：轉赴福建省福州市鼓山湧泉寺參訪，他對湧泉寺當時的一切境界似曾相識，彷彿故地重來。

當時虛雲老和尚於鼓山創辦法界學苑，並請慈舟老法師主講《華嚴經》。

他決定依止慈舟老法師學習《華嚴經》，歷時半年，仍無法契入華嚴義海，遂親自向慈舟老法師請法，之後決定以拜誦〈普賢行願品〉、燃身臂供佛的苦行，開啓智慧。

除依止慈舟老法師，學習《華嚴經》外，更旁及虛雲老和尚的禪法，有時也奉慈舟老法師之指示，代講經論，諸如《阿彌陀經》等等。

一九三六年：赴青島湛山寺，依止倓虛老法師學天台四教，並擔任湛山寺書記，負責倓虛老法師的庶務以及對外連絡事宜。

在湛山寺擔任書記期間，一方面向倓虛老法師習天台四教，及宣揚慈舟老法師的戒律精神。隨後奉倓虛老法師之命，禮請慈舟老法師北上青島湛山寺講律，又護送慈舟老法師到北京，開講《華嚴經》。

一九三六年底：再度奉倓虛老法師之命，赴福建廈門萬石巖，禮請弘一大師北上弘律，歷時半年之久。因《梵網經》的請法因緣，弘一大師同意北上湛山寺，開講〈隨機羯磨〉。

一九三七年：擔任弘一大師的侍者半年，以護弘老生活起居，深受弘一大師身教的啓發。當時並就近依《占察善惡業報經》所描述的占察輪相，請弘一大師親手製作一付，以供修習。

弘一大師爲了答謝他擔任半年的外護，親贈手書的「淨行品」偈頌乙本。

一九三七年至四〇年：隨同倓虛老法師在長春般若寺傳戒，講四分戒律，並往來於東北各省、北京、天津、山東等地，講經弘法。其間曾接觸來自西藏的藏僧，引動了赴西藏學習密法的因緣。

一九四〇年：由北京至香港、新加坡、印度弘法並朝禮佛陀遺跡。

一九四一年：轉赴西藏拉薩學習密法，住在西藏黃教三大寺之一的色拉寺學習經論五年，依止夏巴仁波切，赤江仁波切，並因能海老法師的引進參拜康薩仁波切。

一九四五年至一九四九年：轉赴西康等地參學，總計在西藏學習密法達十年之久。

一九五〇年：由西藏返回中國內地，被錯判刑十五年，勞動改造十八年，入獄長達三十三年。在獄中，他經常觀想一句偈頌：「假使熱鐵輪，在汝頂上旋，終不以此苦，退失菩提心。」奠立了爾後重回佛教，弘揚佛法的信心。

一九八二年：平反出獄，回北京任教於北京中國佛學院。在這段時間如法修學地藏法門，重啓弘揚經論的智慧。

一九八四年：接受福建南普陀寺妙湛老和尚、圓拙長老之邀，到廈門南普陀寺重建閩南佛學院，並擔任教務長一職，開講《華嚴經》、《法華經》、《楞嚴經》、《大乘起信論》等。

一九八七年：應美國萬佛城宣化上人之邀，赴美數月後返回中國。

一九八八年：應美國洛杉磯妙法院旭朗法師之請，再次赴美弘法，開講《占察善惡業報經》、《華嚴三品》、《地藏經》、《心經》、《金剛經》、《華嚴經》等，並數度應弟子邀請到加拿大、紐西蘭、新加坡、香港、台灣等地區弘法。

二〇〇四年：現常住五台山靜修，並於普壽寺開講《大方廣佛華嚴經》預計四年圓滿。

地藏菩薩本願經 卷上

目錄

地藏菩薩本願經

《卷上》

夢參老和尚 主講

前言

地藏王菩薩的法過去講的人很少，一般人以爲《地藏經》是超度往生的人，有人過世了，就念念《地藏經》超度超度。如果這樣去理解，就把《地藏經》劃到小乘的經典了。

爲什麼要講《地藏經》，是講小不講大嗎？我們的判斷是錯誤的，法沒有大小，至於經的義理，是看我們當時的情況，而有不同。

《地藏經》對我們現在切身的利益非常有關係，人人都希望家宅平安，生活幸福一點、愉快一點，我們做事業，雖然不想發大財，但一般生活還是需要的，絕不願做生意賠錢。

在諸佛菩薩發願的加持力上，看他有沒有發這個願？我們求他，可是他沒有發這個願，結果恐怕就差一點。比如說觀音、地藏，爲什麼人人都知道觀音、地藏？爲什麼求觀世音菩薩加持？在《地藏經》第十二品，釋迦牟尼佛就囑託觀世音菩薩弘揚《地藏經》，因此學習《地藏經》的時候，也是觀世音菩薩加持所弘揚的，因爲你念觀世音菩薩，觀世音菩薩就加持你讀《地藏經》。

誰都知道法界六道中地獄是最苦的，誰也不想下地獄，但是地藏菩薩爲了度衆生就到地獄去，到最苦的地方去度衆生，爲什麼？他的願力。我們大家求觀世音菩薩，求地藏菩薩效果特別快。原因是什麼呢？他發了這個願，只要我們一求他，就特別靈驗。

不論古今，每一位法師講經的時候，在沒有講經文之前都要玄談一下，所謂玄談叫做「談玄說妙」，但是我們現在不必這樣做了。另外在講經的時候，看他是哪一教，如果他是學五教的，一定會用五教儀來判這一部經，在這部經文沒有講之前，先在玄談當中講解全經的大意。有的人這部經讀得很熟悉了，他聽完大意就不聽了，爲什麼呢？他沒有那麼多時間，他自己去修行了。

現在我們不講玄談。但是我有個要求，不論學哪一法，你對這一法必須先生起一個信心。信是有程度的，什麼樣是信？什麼樣是不信？像我們都是信，可是信的程度不同。

我們的信，只是信有地藏王這麼一位菩薩，他發的大願「地獄不空誓不成佛」，《地藏經》是佛跟地藏王菩薩演唱的，我們信地藏王菩薩，信這部經、信這個法門，但是沒有信：「我就是地藏，地藏菩薩就是我本人！」要是能夠這樣信，就是深信了，叫「理信」；不能這樣信的，但求地藏王菩薩加持，叫「事信」。這是有所不同的。

另外還要信什麼呢？因爲《地藏經》是仗他力的，不是靠我們自力修行的，我們只要念念經，乃至於只要念地藏王菩薩聖號就可以得到好處，就能獲得加持，消災免難，乃至於直至成佛。現在這個時代是末法時代，而這個世界叫五濁惡世，我們自己的力量很薄弱，障緣很多，修起來也很困難，因此要找一些仗他力的經典，《地藏經》是最合適的，這也是我們要講《地藏經》的因緣！

知道這個因緣了，我們要學這部經，要先建立這樣的思想。《地藏經》好像鬼神說的特別多，有沒有鬼神？我們平常所說的鬼跟《地藏經》講的鬼是不一樣的，鬼是一道，確實是有鬼，但是我們見不到這種鬼，就像天也是一道，我們也見不到天是一樣的。菩薩遍天道，經常示現在人間來度衆生，我們也見不到。我們看見的不是觀世音菩薩化身，就是觀世音菩薩畫像或是塑像，哪一位是觀世音菩薩？現在我也不知道，我們這裡頭可能有觀世音菩薩，因爲他到人道來，就示現人；他到哪一道就示現哪一道，只是你隔了道就不知了。

《地藏經》又給我們一個啓示，地藏王菩薩每日清晨隨順人間，他就入恆河沙定，這個定包括好多定，恆河沙有多少沙子，他這個定就包括多少。

這一個定，看十方法界哪一個衆生受苦受難，就去度他了，但是要跟他有緣。我們念他的聖號，讀他的經典就跟他有緣了，他就會到這裡來；看見你有難了，他會觀察你的因緣，應當怎麼度你，你就能夠得救。你能夠持他的聖號就已經得救了，這跟其他的菩薩不一樣，這是這部經的一個特點。

至於經上說你念地藏菩薩聖號，念到什麼程度，就得到什麼感應，如果照經上所說的去做，確實能得到感應，能得到加持，也就能解決你心裡頭解決不了的問題。

現在我們開始講《地藏經》的題日，這是漫談，不是玄談。

「地藏菩薩本願經」

我們先講「地」。大家都知道「地」是土地，土地的涵義有很多，我們知道地下能生長五穀，地下含藏一切寶物，我們用的東西都從地下挖出來的。「藏」者就是含藏義，大地就含藏這麼多功能；還有住持義，能載負一切眾生，一切事物在這片大地，它能負載得起，還能攝持。這是形容地藏王菩薩能負載一切眾生，使眾生的善業增長，惡業消除。

「本願」，在這部經當中是最根本的，「本」是根本的，他最初發願利益眾生的時候就是「本願」，這部經的題目是「地藏菩薩本願」，這六個字是別題，一個題目有通有別，「經」一個字是通的，凡是所說的一切法都叫「經」，「地藏本願」就是別題，只有這部經叫「地藏本願」，其它的經就不是這樣子。

現在我們講講這一部經怎麼到傳中國來的？這部經原來是佛在印度說的，我們中國人不認識梵文，要是有懂得梵文的人，也是到印度求法的時候學的。所以必須經過翻譯，把原來的梵文翻成中文，那就需要一段時間。當時佛說完法的時候，這部經並沒有立即傳到我們中國來，而是結集很久以後，到了唐朝時候，實叉難陀才翻譯這部經。

以前還有一種說法，說這部經是法炬法師翻譯的，那是晉代譯的，事實上實叉難陀翻譯時是唐朝，二者翻譯的時間距離很遠。但是法炬法師的譯本，在法炬翻譯經典的目錄當中沒有記載，也不曉得是記載人的失誤，還是偏見，因爲那個時候譯經場裡頭有一種偏見，都崇尚《華嚴》、《法華》，屬於大乘經典，談玄說妙那一類的；像這一類的經典，那時候的人可能不大喜歡，或者是在接受上有問題，因此在法炬法師譯經的目錄裡頭就沒有記載。

這部經的翻譯只剩下現在的流通本，實叉難陀的譯本，經題底下有「唐于闐國三藏沙門實叉難陀譯」，唐朝是李淵建國的，佛法在唐朝時候最爲興盛，那時候譯的經特別多，因爲崇尚佛教，大德也多了。于闐位於現在的新疆，翻譯的名字不同，史書上記載有「于遁」、有「于闐」，都不一樣的。

佛涅槃兩百三十多年以後，于闐國才建立，建國的時候有很多奇特的歷史，初期的老國王很能幹的，建國之後努力宣傳佛教，因此這個國家的佛教很興盛。但是他的晚年沒有兒子，他憂愁這個國家，沒有人來繼承，他供的有毘沙門天王像，就祈求毘沙門天王加持，因此他到廟裡祈求，就在毘沙門天王像的肩膀上產生了一個嬰兒，那個時候奇異的景象很多，這個嬰兒就繼承王位了，發展這個國家。

出家人沙門，我們翻爲「勤息」，勤修戒定慧，息滅貪瞋癡，又翻爲比丘、破惡、怖魔、乞士，翻譯的名詞很多，在各種經典上講的可能都不一樣。「實叉難陀」就是這位三藏法師的名字，爲什麼叫三藏呢？佛陀說的法分成三大類：經、律、論，律就是佛教的法令，就是戒規；經就是教理；論就是辯論、討論、議論。這位法師，經也通、律也通、論也通，才能夠成爲三藏法師，精通經、律、論就叫三藏。

「實叉難陀」也是梵文，翻譯爲中國話就叫「學喜」，他的智慧很宏、很廣、很大，他發的願心也很大。不僅能夠通達於大小乘的經教之法，對於佛經、律藏、論藏他都通達，也匯通了印度的外道。他到了中國沒有多久，《華嚴經》就譯成中文流通了，這類大菩薩是發願再來的人，無所不通曉的。大家讀誦的經，實叉難陀翻的很多，我們現在讀誦的八十卷《華嚴經》就是實叉難陀翻的。

實叉難陀是崇信大乘的，但是他不認為《地藏經》是小乘。人稱實叉難陀是華嚴菩薩，翻《華嚴經》也翻《地藏經》。有一個人最欽佩實叉難陀，他也是弘揚《華嚴》、《地藏經》的，那就是弘一法師，儘管弘一法師沒有明講，但他的書法寫的也是《華嚴經》，要不就寫《地藏經》。實叉難陀在中國翻譯經典時住在長安的大遍空寺，這間廟還在，現在改成香積寺，他在那間廟裡翻譯這部經。

這是譯經的人，為什麼我們要知道譯經的人呢？我們要學哪一部經就不可忘記人家的恩，如果沒有他的翻譯，我們沒有辦法學習。在印度，佛說的經、說的法很多，如果我們這裡沒有翻譯過來，就不知道了，現在到西藏去，西藏有很多經典，藏文有，漢文沒有，西藏離印度近，就直接翻譯，所以要把翻譯的法師略作介紹。

忉利天宮神通品 第一

這一部經說法的地點跟其他經上說法的地點都不同，以前說法的地點常是祇樹給孤獨園，《金剛經》也是在祇樹給孤獨園說的；這部經則是在天上說的，在忉利天說的。這是說經的地點。

「忉利天」是在欲界的第二重天，我們現在就是在欲界，我們是地，他們是天，是欲界的第二重天，第一重天是四天王天。

「忉利天」通稱是三十三天，東、西、南、北四方，每一方有八位天王，四八三十二，加忉利天的天王，稱為三十三天。這個天處於我們人間的第二層天，第一層天是四王天，我們經常說在須彌山頂上，沒有離開地，這是地上的頂天，不是虛空天，而是帝釋天，距離這個世界是十八萬由旬。

這個天的天王身高四十華里，壽命一千歲，這可不是我們這裡的一千歲，我們這裡人間的一百年只是忉利天的一晝夜。在須彌山頂上有座城，名字叫喜見城，就是歡喜看見這座城的意思，在其它的經上有時候叫善見城，喜見跟善見的意義都是相通的。它有多大的面積呢？我們不用英尺來計算，它說的是總廣八萬由旬。由旬是印度計里程的數字，四十華里爲一由旬，這是下由旬，中由旬是八十華里，上由旬是一百二十華里。它是八萬由旬，我們就拿四十華里來計算，這個數字也是神仙的數字了。

帝釋天主居住在這座喜見城裡頭，四周圍有四座峰，也是須彌山的四峰，這四座峰每一峰有八天，四八就三十二天，加上中央的喜見城共三十三天。三十三天有一個堂叫善法堂，佛常在忉利天的善法堂說法。

因爲三十三天過去從來沒有說過的，一略就過去了，我想講一講。《地藏經》講天上、人間、地獄，我們把這事相分析，分析到什麼都知道了，觀想的時候你想到哪個天就哪個天，而每個天的境界都不一樣。

三十三天的名字，第一天就叫善法堂天，第二天叫山峰天，第三天叫山頂天，第四天叫喜見城天，第五天鉢私他天，第六天俱吒天，第七天雜殿天，第八天歡喜園天，第九天光明天，第十天波利耶多天，第十一天離險岸天。

第十二天是谷崖岸天，第十三天摩尼藏天，十四天旋行天，第十五天金殿天，有時候帝釋天主坐在這個金殿天，我們人間所說皇帝坐的金鑾寶殿是從這裡來的。鬘形天、柔軟天、雜莊嚴天、如意天、微細行天、歌音喜樂天、威德輪天、日行天、閻摩那沙羅天、速行天、影照天、智慧行天、衆分天、曼陀羅天、上行天、威德顏天、威德燄輪光天、清淨天，這就是三十三天的名字。

在《大智度論》上講，摩揭陀國中有一位婆羅門，他的智慧很大，他有三十二個朋友，加上他本人共同修佛，後來因爲願心的關係，他們就生到了三十三天，大家聚會到了善法堂。這一次釋迦牟尼佛想報母親的恩德，就到忉利天善法堂去給他的母親說這部《地藏經》。我們都知道《彌陀經》是無問自說，《地藏經》是佛到那兒召集的，不是地藏王菩薩來請法的，而是佛召集地藏王菩薩來說經，也是佛說法。發起人是誰呢？是釋迦牟尼，釋迦牟尼佛要報母恩，就發起說這部《地藏經》。

「神通」，我們大家都想得到神通，人人都願意得神通，由於我們好奇心的趨使，想要得點神通，只要用手一指就一道白光，這種神通很簡單，人人都有，只要專心致志的去修；但是這不是正宗佛教，容易造罪，因爲你的三業沒有清淨的時候，善根沒有具足，信心不堅定，有了神通一定利用神通造罪，這是必然的。

什麼叫神通？神名「天性」，通名「慧性」，天性就是自然的那個性，佛教講天是自然義，像剛才我們講的這個天只是處所，在義理上講天就是自然義；通是慧性，慧就是智慧。神通就是隨著衆生的根基，是什麼根基，就說什麼法，但是這是知機者，知機者觀察衆生的因緣，應該說什麼法對他好呢？就用智慧去觀察，從心裡運用智慧去觀察，這是很不可思議的，我們每個人的神通都很大，但是自己也不承認，也不認爲是神通，因爲這個能力跟一般人一樣，不認爲是神通。

每個人都具足神通，也就是我剛才講的天性，自己自然的性，每個人的資質不等、慧性不同，也就是說你的天性不一樣，有的人第六感特別敏感，有的人絕對沒有。有的人估計、判斷與後來的事實很符合，那就叫智慧了，不知道的人以爲他有神通了。

現在中國東南地區出了一個張某某，常常看地理，但是大陸給他固定的公職，他要出國絕對不行，有好多的保安人員保護他，你心裡想的，他都知道，這是報得的，他也不是修行人。學神通有深有淺，從凡夫一直到佛，各種神通的妙用都不一樣。每個人的作風都不一樣，每個人都有神通，只是大小、圓融的不同而已。

我們一般說是六通（天眼通、天耳通、他心通、宿命通、神足通、漏盡通），達到漏盡通只有聖賢，一般的天人、外道沒有這種通。鬼也具足五通，鬼的首領不是一般的普通鬼，這部經上講的鬼王都有神通。神通的意思就是你能夠隨心所欲、無所障礙，把外面的境界相神化起來了。神字叫妙，有那個智慧，證得、通達了，他就隨心所欲了。

我們讀《金剛經》的時候會提到五眼六通，其它的經也都會提到，天眼通是能看得很遠，但天眼通也有局限性，他看他以下的境界都通，但是上方的境界看不到，只能見下不能見上，因爲他的這個神通還不能到達上方的境界。欲天，他的通只能見到欲天乃至於下界，下界能見到，上界就見不到了，這是屬於福德的報得。像我們在人間要修行得的通，不是報得的，外道的人都能修得，這不是什麼了不得的，修外道的也有通，也就是我們所說的仙家。

「如是我聞」

這句話不只是《地藏經》有，所有一切經一開始都是「如是我聞」，這句話是誰說的呢？阿難尊者說的。釋迦牟尼正在要入涅槃還沒入涅槃的時候，所有的弟子傷心了，雖然是證得了阿羅漢果，雖然沒有人見、我見、衆生見、壽者見，也達到無漏了，但是情感還是有的，聽到佛圓寂了，當然是悲哀得不得了！阿難尊者更悲哀，他是佛跟前的侍者，長老阿泥盧豆跟他說：「阿難，你請示佛，將來結集經典的經頭寫什麼？不請示將來就不知道了，這個時候不是傷感的時候，你要住持正法！」阿難就請示佛說：「將來結集的時候，經文的開頭怎麼寫呢？」佛就告訴他：「如是我聞」。

凡是每一部經都是「如是我聞」，這是阿難尊者說的。爲什麼標這麼幾個字呢？用白話來說，這部經所說的是我親自聽聞的。「如」者是理，「是」者是事情的事，在理上、事上都不錯的，我是親自聽到的，簡單解釋就是「如是我聞」。

要是加一點深的理，《占察善惡業報經》後半部講的「一實境界」，意思就是法界的總體。我們經常稱「法界」，乃至於眞如，乃至於妙明眞心都是「如」，「如」者就是體；「是」者就是用，「用」就是大用，說這部經裡有很多的事情，這些事情是稱體而說的，從理上而起的事，是我親自聽到的，不是假的，誰親自聽到的呢？阿難親自聽到的。

阿難尊者用「如是我聞」來證實這部經是眞實的。另一種解釋「如是」是指著什麼說的？這部經所說的話是我親自聽到的，「如是我聞」加起來是「信成就」，聞是「聞成就」，有說有聽。佛在當時說法必須要有文字記載，沒有文字記載我們又怎麼知道呢？前面我講翻譯，如果沒有把梵文翻成華文，我們又怎麼知道這種道理呢？現在把華文又翻成英文，因爲在這個地區都講英文，如果你不翻成英文，別人又怎麼懂呢？我們這些佛弟子很多人都懂英文的，有時用英文把佛教的道理講一講，別人聽得懂這種道理了，他就會作選擇。

不是我們一說，人家就信了，他選擇之後又作比較，比較究竟好不好？我們說佛法好，佛法是利益人，是度人、救人，能夠離苦得樂的，這不是一句話而已，你拿什麼事實給人家？在信了佛之後，在佛教之中確實會得到什麼利益？得不到利益，這個信仰是不會鞏固的，可信可不信，不是這樣嗎？

信了佛之後又不信了，有沒有呢？有的。說不信了對不對呢？也沒有什麼錯誤，他的業障當然是他的業障，我剛才講的利益，你有沒有呢？你之所以沒有是因爲給業障障住了；但是業所障的不同，深淺不一。

我們引人家入門了，入門了就應逐步的深入，好比說念阿彌陀佛有好處，什麼好處？消災免難，它確實能得到、收到效果，可是他沒有消災免難，別人消災免難了，那就是別人修成了，他修不成，一個信的誠，另一個信的不誠，這就是如是之法，我們聽到的這個法是可信的。「如是我聞」就是這個意思。

「一時，佛在忉利天，爲母說法。」

「一時」是指時間成就，什麼「一時」呢？說《地藏經》的這個一時。我們現在講解的時間是一九九〇年六月二十三號，而那個時候沒有日曆可考，況且我們的這個時候跟忉利天的時候一樣嗎？恐怕不一樣吧！現在的「一時」跟台灣的「一時」不一樣，我們現在是夜間，台灣就是早晨了，印度的時間跟我們的時間也不一樣。

時間怎麼定？沒法定了，天上、人間，各個民族，各個的方言，各個的習慣都不同，所以釋迦牟尼說經的時候稱爲「一時」，「一時」，什麼時候？我說你聽的時候就叫「一時」。機緣契合的時候，大家這麼聚會，有這個機緣，這樣就叫「一時」了，感應道交時。過去、現在都訂爲「一時」，這是在事上講。在理上講，時間沒有一定的，是因爲衆生的心力，法無定體，時的法沒有一定的體，根據什麼定呢？根據衆生心定，木來一切法都可以心定。

現在我們說的時候、聽的時候，我也可以說「如是我聞」，我聽我的老師給我講的！或者釋迦牟尼講的意思，那個意思就是「我現在」這個意思了，這是通用的。所以佛經上講「一時」，就不要在時間上追究。

這個「一時」關係很大，表示因緣際遇、機會相等，善根成熟遇見的這個時候。《金剛經》上說，你要是能夠聽到《金剛般若波羅蜜經》，聽到這個名字而且不謗毀，信心堅定，你不是一佛、二佛、三佛、四佛、五佛面前種的善根了，已經是在千萬佛所所種的善根。《地藏經》也如是，遇到《地藏經》的人還不信。我講「一時」，就講信不信，這是屬於「信成就」；信不信關係很大，關係到你接受這部經所獲得的利益，所得的靈感，當中有天壤之別。

「佛」，我們大家都理解，所不理解的是印證到自己身上，自己不承認自己是佛，很多人沒有這個信心。每一個法會都有個主，誰說法啊？佛就是法主，在這個娑婆世界說法的法主，現在還是我們的法主；我們現在說、學、修、行都是依照我們這位師父─釋迦牟尼佛。未來彌勒佛降生之後就換了紀年了，也就是我們的佛紀換了，換成彌勒佛，那時就不是釋迦牟尼佛，但現在還是釋迦牟尼佛。

我們持咒、念經的時候叫「佛陀耶」，現在「陀」省略了，「耶」也省略了，「佛陀耶」就是佛；剩一個字，佛者覺也，就是覺悟的覺，就是我們現在知覺的覺。我們現在的這個覺悟，在理上講跟佛是一樣的，我們也是佛，不過是有的開悟了，有的沒有開悟，但是小開悟是不行的。

一時，有了說法的人，就是聽聞相契，如是這一部法，我聽是聽到這樣，聽到佛說的。剛才說我們都是佛，可是爲什麼我們成就不了呢？因爲我們迷惑了，迷惑就顚倒了；本來是虛幻不實的，我們當成眞實的，把假的當成眞的。什麼是假的當成眞的？我們的色身一切事外的境界，客觀的一切現實境界，我們以爲現實的都不是眞實的，一切境界相像什麼呢？就像我們作夢所見到的一樣，如夢、如幻、如泡影，都不是眞實的。就因爲我們把不眞實的當成眞實的，迷失掉佛的覺位，就處處是煩惱、處處是障礙，什麼都明白不了，所以就成不了佛，明明是一尊很好的佛，就被這些障礙煩惱、見思塵沙無明給遮蓋了。

假使能明白了，就是《法華經》上所說的，開始悟入佛之知見。雖然沒有妙相的相好，但是在知見上已經明瞭了，就漸漸能趣向了。可是我們現在還沒有明白，這不是三言兩語的幾句話，也不是聽幾部經、學幾部經論，也不是一生、兩生，是要經過很長的一段時間，連學帶修聽聞薰習，漸漸的也能夠成佛的。地藏王菩薩在這部經裡說，如果持這個地藏名號，念《地藏經》一定能成佛。後面的第十三品《囑累人天品》，虛空藏菩薩請佛說，要是見了地藏相、聞了地藏名、念了《地藏經》有多少的利益啊？佛說二十八種利益，其中有一項好處是「畢竟成佛」，後面又說七種的好處，也有一條「畢竟成佛」。

所以，見了《地藏經》、聞了《地藏經》，能夠受持，又能夠持聖號，你決定能成佛，這個佛就是我們自己了。自他結合，將來我們一定能成佛，但是不一定叫釋迦牟尼佛，到時候你叫什麼佛就有你的別號。「佛」字是通號，在這部經上指的是釋迦牟尼佛，就是別號。

「在忉利天」，說法必須有個地方，在什麼地方說法呢？這部經的特點大家看經文就知道，一位阿羅漢都沒有，那些常隨衆弟子都沒有去，去的都是菩薩。一開始，除了十方諸佛菩薩之外，就是鬼神，這些鬼神都是地藏王菩薩教化度來的。這個說法的處所是在忉利天。

「爲母說法」，這部經是沒有人請的，佛自己到忉利天去報母親恩說的。前面也沒有詳細的序分，爲什麼呢？因爲佛正在說法，現了種種的瑞相，沒有敘述法會的人員，可能前面佛正在說法，前面已經說過了，這裡就沒提了。

「爾時，十方無量世界，不可說不可說一切諸佛及大菩薩摩訶薩，皆來集會。」

這裡的法會大衆是誰呢？是十方的一切諸佛，有多少呢？「不可說不可說」，數字是有的，但是說不清楚。還有大菩薩，這些大菩薩也是「不可說不可說」。每一尊佛都有無量菩薩來圍繞他，這些佛都是無量世界，不可說不可說那麼多的佛，每一尊佛帶著他的弟子，那些大菩薩的數字是更不可思議的，到這兒做什麼？聞法來了。

到此爲止就是「六成就」，從如是我聞，一時佛在忉利天爲母說法，一切諸佛、諸大菩薩來集會，這些法會的大衆，聞法的是些什麼人，諸佛是來證明的，都來讚揚地藏王菩薩的功德。前面說是尊位，諸佛菩薩的隨衆就包括很多了，這是「衆成就」；「忉利天」就是「處成就」，說法的處所；說法是佛說的，就是「主成就」；「一時」是「時成就」；「如是我聞」是「聞成就」；如是之法是「信成就」。這叫「六成證信序」。

有這六種的因緣結合起來，證明這部《地藏經》是可信的，要是信了，你就發願；起碼要發願受持地藏王菩薩聖號，發願讀誦《地藏經》，能夠學地藏王菩薩發願利益衆生。當然我們現在不會發願到地獄度衆生；人間都度不了，還要到地獄去！我們只要度了周圍的六親眷屬，就功德無量了。但是隨順發願、隨順讚歎、隨順隨喜，要讚歎地藏王菩薩度生的功德，我們自己不會讚歎，可以念《地藏經》前面的經文去讚歎地藏王菩薩的功德。

這些菩薩聚到這個法會當中，先讚歎釋迦牟尼佛，以下的文義就讚歎釋迦牟尼佛。

「讚歎釋迦牟尼佛能於五濁惡世，現不可思議大智慧神通之力，調伏剛強眾生，知苦樂法，各遣侍者，問訊世尊。」

這就叫做「會眾讚歎」，讚歎釋迦牟尼佛的功德。釋迦牟尼佛有地藏王菩薩這個弟子，在這個世界上幫助他教化眾生，這是不可思議的；讚歎都用最好的言詞，最美妙的，來讚歎釋迦牟尼佛在這個世界上累生的功德，這個世界是什麼呢？就是娑婆世界。

「釋迦」是印度的一個種族，叫釋迦族，釋迦也是姓。釋迦牟尼有的翻成「能仁寂默」，這個是普遍度一切眾生，以這個德號來授記，也就是多生累劫的時候度眾生所累積的。佛的德號都是以他累生所做的事業來定的，有的照他發願而定。釋迦牟尼佛發了五百願，阿彌陀佛發了四十八願，普賢菩薩發了十大願。地藏王菩薩發了一願：「地獄不空誓不成佛」，但是這一願也是很不可思議的願。

「能於五濁惡世」，「濁」就是渾濁不清淨。從釋迦牟尼佛降生的世界就是五濁惡世。這一劫是劫濁，印度話叫「劫簸」，《華嚴》翻爲「時分」，說這個時候你來得太不好了，但是我們比那個不好的時候還要不好。佛法可以分爲三個階段，「正法」、「像法」、「末法」，「正法」、「像法」的時候，我們不曉得到哪裡去了，沒有來到這個世界上，也許來了也沒有聽到佛法，釋迦牟尼生到印度時，我們生到別的國家，那個國家還沒有佛法，所以我們現在生到「末法」，還是不錯的。

爲什麼不錯呢？還能夠聞一點法，在這個渾濁世界裡頭還有一點清涼。我們這個時候叫「劫濁」，時候不好；在佛經中，最大叫阿僧祇，最小叫剎那，我們思想一念有九十剎那；最長的就叫劫，劫有小劫、中劫、大劫，劫還有長短，我剛才說的那個劫不過是總說，叫「時分」。像在《華嚴經》有一品叫「阿僧祇」，是專門說世間一百二十個大數字，從阿僧祇算起，阿僧祇就叫「無量數」，說它不可說不可說，完了，後面還有不可說祇不可說轉，這個劫就不可思議了。

這個劫要怎麼分呢？「減劫」的時候，人的壽命從八萬四千歲，每一百年減一歲，減到人的壽命十歲，減到十歲時候又增，又是每一百年加一歲，加到八萬四千歲，這麼一增一減叫一小劫，二十個小劫叫一中劫，四個中劫叫一大劫。人的壽命八萬四千歲時還是好的，還算是清淨的，到二萬歲以後，知見漸漸的不正了，這個世界就渾濁了。

「劫濁」的時候不好，人看問題，看完就變了，你有你的看法，我有我的看法。「見濁」，很不容易有同一個思想，看問題的方法也不對頭，知見就是不清淨。比如說我們天天看報，爲什麼人要殺人？有怨有仇的殺還有個因緣，無怨無仇拿著槍對著一些人就開槍、就打，我們不知道他的腦子裡在想什麼？看問題是怎麼看的？這個例子是最明顯的。我們現在這裡有七、八十人，每個人有一個看法，這就是見，知見不同，你說佛教好，我說基督教也不錯，我看那教氣功的也可以，反正我的看法跟你的看法不一致，統一不了。

小的問題還可以，大的問題，國與國之間，人與人之間，一個部落與一個部落之間，或者一個派系與派系之間，那就鬥吧！把這個世界鬧得亂七八糟的，都是因爲看法不同而引起很多的爭議。例如我們是注重家庭的禮教、文化，講道德，講不要傷害人家、要利益人家，不要太過於斤斤計較。在利上計較，這是屬於行爲、心理狀態的道德標準；但是有些人爲利，只是看到物質，對於自性當中的事一概不講，這就是唯利是圖，人人向錢看。

我們看到世界上整個的趨勢是朝這個方向走的，人與人之間的利害關係是建立在經濟基礎上，這跟我們佛教徒的見解有點不同，佛教是要想明白，讓人人都能夠明白自己的心，不要造罪、起惑，心裡不要起壞念頭，身體不要做壞事，口裡不要說壞話，這是發源於知見。知見產生於思想，思想正不正確？我們這個時候是百分之百、不折不扣的「見濁」。

另一種是「煩惱濁」，我想在座的人士當中，包括我們幾位師父，他們是什麼果位我不知道，他們也許見思惑都斷了，但是我感覺到我們見思惑沒斷以前還是有煩惱的，「來這兒聽經應該沒有煩惱。」不見得！你回到家裡，沒有來聽經的，或者是你子女或者你的配偶說：「你去幹什麼，去這麼久的時間？」你說：「我去聽經了。」「去聽經了？那有什麼用處啊？你待在家裡不好嗎？」今天是星期六還沒有關係，以前在星期五講經時，下了班慌忙趕著來，還沒有吃飯，聽完了才去吃飯，有時候會有煩惱，或者自己本身沒有煩惱，周圍的人卻因爲你而引起煩惱。

你煩惱不煩惱？大煩惱、小煩惱，乃至於因爲你的小孩引起的煩惱，家庭的瑣碎事就更多了；那麼出家應該好一些吧？比在家人好一些，但是也好得不太多，出家安口鍋跟在家差不多，除非不吃飯，因爲你需要衣、食、住、行，所以煩惱事也很多。自己要少欲知足，煩惱少一些。

要想沒有煩惱，沒有「我」，就沒有煩惱了，因爲「一時」，「我」還在，所以煩惱還是照樣有。「今天我們就留給煩惱吧！明天再繼續講！」這種情況是不好，留什麼煩惱？認識煩惱就沒有煩惱。認識它，也不逃避。用理觀照，「觀自在菩薩照見五蘊皆空」，煩惱一照就空了，但是，不是一回、兩回而已，要多照幾回，觀照成熟了，遇到煩惱或者心裡不安，這個時候念部經或者打打坐，念念聖號，把心安下來，等一會兒煩惱就過去了。

「煩惱濁」的問題是很現實的，我們學習佛法對我們人生有什麼用途？我們在學校讀書，無論是學化學、物理、哲學，讀哲學也是知道人生的思想，我們學習佛所教導我們的，這是我們的生活，把生活過得合理了，怎麼是合理的生活呢？不煩惱就合理，煩惱了就不合理。

「五濁惡世」就是我們現在所處的客觀環境，所依的這塊土地，這叫娑婆世界。這個娑婆世界翻譯成中文就是「堪忍」，「堪」就是可以，說這個世界的衆生忍苦的能力相當強。特別是我們這個南贍部洲，不但忍苦的能力強，而且客觀的現實處處都是苦。這個苦是果，我們所受的苦果，是怎麼來的？煩惱。煩惱有淺有深，有粗的煩惱、有細的煩惱，還有一個根本的煩惱。

我們不想要煩惱，怎麼辦呢？佛就告訴了我們，佛法就是覺悟、明白的方法。有煩惱了就不覺悟了，有煩惱了就不明白了，煩就昏了，熱惱給我們的就是身心不得安定。諸位都是住在家庭當中，一個家庭的組合有兒女、夫婦、父母，在家庭當中最容易產生煩惱，一天就在煩惱當中，都是親人，越親的人給的煩惱越多，爲什麼？關心。關心過分了就會有煩惱，因爲都是親人，防範心輕了，說話及一切舉動不會特別留意，也沒有什麼怕得罪的，有顧慮反而引起煩惱。我們想去除煩惱就得學佛法，這裡面有很多的方法。

佛陀在這個世界上是要度衆生。衆生是不清淨的，每個衆生都有煩惱。衆生有各種各類，我們都屬於衆生的一種。但像我們對於其他衆生並不是以平等心對待，對於人是一種看法，對於畜生，特別有些動物，對牠們最討厭，老鼠、蒼蠅，你喜歡牠們嗎？不會喜歡牠們的。我們對待牠們能不能平等看待呢？絕不會！我們的心裡無法平等看待，但牠也是衆生的一份子！所以衆生不清淨，濁就是不清淨。

我們用比喻就可以說明，到了極樂世界，清淨了，生到這個天上去，大家都一樣。天上沒有老鼠，都是天人。到極樂世界更沒有其它的動物了，極樂世界不是有七重行樹，種種出微妙音的鳥？那是化現的，不是業報感，我們這裡是業報感的，極樂世界是清淨的，這裡是業障衆生，不清淨的。

「命濁」，壽命不一樣，特別是我們南贍部洲，壽命長的活到一百歲，壽命短的就不一定了，也有生下來就死亡了，命不是清淨的，是濁的，這叫

「命濁」。

為什麼釋迦牟尼佛生到這個世界上來度衆生？他不是因爲業力，而是發願到這個世界。要度衆生先從苦的做，像我們有的人大悲心具足，要幫助人，幫助什麼人呢？什麼人最苦，就幫助什麼人，這叫大悲心具足了。他發的是這個願，所以釋迦牟尼佛生到這個世界來。阿彌陀佛發願要給一切衆生快樂，說哪一個衆生生到我這個世界來，我讓他永遠沒有五濁的現象，直至成佛，這是他發的願。我們學過《藥師琉璃光如來本願經》，藥師佛發十二大願，他要救助一切衆生沒有病痛，讓這個世界是清淨的琉璃世界。

「是時如來含笑，放百千萬億大光明雲，所謂大圓滿光明雲、大慈悲光明雲、大智慧光明雲、大般若光明雲、大三昧光明雲、大吉祥光明雲、大福德光明雲、大功德光明雲、大歸依光明雲、大讚歎光明雲，放如是等不可說光明雲已。」

這段經文是敘述什麼呢？沒有因緣，佛不會放光、含笑的，有什麼因緣呢？後面的經文就會顯現了，他說這個法會專門利益最苦的衆生，以誰來表現呢？以地藏王菩薩來表現，這是法會的開始。

凡是佛含笑或者佛有表情，以後就會現出種種微妙的法，而預先顯示的這些光明，是形容佛所修的功德，所感召的功德。這個光明我們要以數字計算有多少呢？有百千萬億那麼多，但是用我們肉眼所看的，我們分不出來。有關光明的名字，我們看的只是它的燈光或者太陽光，我們能分出幾種光呢？我們人人都有智慧，人人都有陽光，但是我們的肉眼見不到。一個人所做事業的大小，我說的這個事業是指善業，讀經、禮佛、拜懺所感的功德，都反映在我們肉眼見不到的地方。

佛放這些光明雲，我們還是見不到，要經由修行才能見得到，在我們人跟人之間是見不到的。如果是你修得的，你的道力有了，這並不是說怎麼開智慧眼，好比人跟人之間，見到這個人你很喜歡，因爲他的反射，使你的感官就感覺到氣氛很融和，和你這個人有緣，心裡感覺到很愉快，這雖然不是光明意，但是有個感覺意了。

佛放這些光明是一種感召，放這些光明就感召有緣的衆生來了。我們經常在經上看到佛在哪裡說法，他的常隨衆是千二百五十人大弟子都在，但是這個會沒有這些常隨衆。而是十方諸佛菩薩來讚歎釋迦牟尼，因爲這種關係，釋迦牟尼就放出光明雲來，這種光明雲就是瑞雲，放完光之後，後面一定有音聲，又出種種的微妙音聲，這個音聲也很多。爲什麼現在不隨文說光明雲義？這是佛的定，無量億三昧才有百千億光明雲，要到後面才說，不然說這光明雲好像並沒有事實的證明。

光明像什麼呢？像雲，雲彩多的時候我們分不清楚，特別是我們到一萬公尺以上再去看雲，雲就不是我們現在所看的雲了。這是形容佛放的光，就像雲那麼多。

「又出種種微妙之音，所謂檀波羅蜜音、尸波羅蜜音、羼提波羅蜜音、毗離耶波羅蜜音、禪波羅蜜音、般若波羅蜜音、慈悲音、喜捨音、解脫音、無漏音、智慧音、大智慧音、師子吼音、大師子吼音、雲雷音、大雲雷音，出如是等不可說不可說音已。」

放完這些不可說的光明雲以後，就出種種微妙的聲音，音聲也是跟著六度萬行說的，音聲跟光明義都是一樣的。因爲前面放了種種不可說的光明雲，現在又說到種種微妙之音，這個音聲我們用什麼形容呢？大家聽音樂的時候就有。

今天有一位弟子跟我說他站在樓上，聽到停車場裡頭放出南美洲的音樂，他聽著就入神了，晚上去聽經、走路、開車，這個音樂的音聲好像一直在他腦子裡迴旋，他問：「師父！爲什麼我一聽到這個音樂在我這個腦子一直揮之不去？但是我聞了法或者念完了經，爲什麼不能隨著我相續？」

他給我提了這個問題，我想到佛放說法的種種音聲是不可思議的，佛說法的音聲有人聞得到，有人聞不到。舉個例子，創辦天台宗的智者大師，他在浙江天台山修法華三昧的時候，就見到印度的日月燈明佛在那兒說《法華經》，他就聞到了。有一個大德向我說，他說他聽到彌勒菩薩在兜率內院說法，我說：「時間多久？」他說：「可惜只有一剎那！」一聽到那個音聲他自己就意識到，這是彌勒菩薩說法，這叫緣，也就是他所修的行門感召相應了，所以他得到了，我們沒有得到，就不相應。

「檀波羅蜜」是布施的音，這個音是說要行布施、行供養。「尸波羅蜜」是戒的音聲，這個音聲聽到的是佛所說的戒，是戒波羅蜜；《梵網經》菩薩戒也好，比丘戒也好，佛教界也要有規律、有法律。還有「毗離耶波羅蜜」是精進音，「羼提波羅蜜」是忍辱音，「禪波羅蜜」是禪定音，「般若波羅蜜」是大智慧音，還有四種音聲的「慈悲喜捨」，叫「四無量心」。《心經》上講，誰要是修觀，誰要是在行深波羅蜜中去觀照一切法的時候，照到一切法的性體，那就解脫了，解脫就自在了，那就是「解脫音」了。

「無漏音」，乃至於小乘說證得阿羅漢果，大乘說究竟成佛，再也不漏了，這個是指佛所說的無漏法，永遠的不流浪生死了，永遠的不會得到變異生死苦；分段生死苦在小乘就可以得到，變異生死是菩薩逐步證得的，乃至到成佛究竟證得的。

「智慧音」跟前面所放的大般若光明雲是一樣的，一切音聲都具足智慧意，佛所說的法都是以智慧說。「大智慧音」，大智慧音就是普遍的，能夠遍照十方法界，是無分別的。凡是加個「大」就稱體了，稱體了就遍於十方諸佛、十方法界。「獅子吼音」是說法的形容詞，說法像獅子吼的聲音一樣，「大獅子吼音」，這個獅子吼音遍及整個法界，一切諸佛世界。

「雲雷音、大雲雷音」，放的聲音像空中打雷似的，時而像行雲聲音，時而像打雷聲音，警醒衆生的愚癡。這是形容法會剛開始的時候，佛就現種種的瑞音。

在忉利天的這個法會上，爲什麼佛出現這麼多神變呢？先放雲，後又出音，來的大衆也不同。我敘述的時候，大家要注意這部經的特點，我們很多人讀《地藏經》就聯想到地獄，因爲地獄是最苦的地方，所以說再惡的人也不願意下地獄，你要是說地獄，他就產生恐怖感。而地藏王菩薩卻在那個最恐怖、最痛苦的當中，受危難最多的衆生當中去度他們，因此要說這部經，必須從特殊情況讓人生起信心。

證明的人是十方諸佛菩薩，與會的大衆多數是地藏王菩薩教化的；再深入說，這四方來的諸佛菩薩是跟地藏王菩薩有緣的，是地藏王菩薩度他們成佛，度他們成菩薩的，是已度、當度的；還有未度的，也就是我們這些人。我們現在還是凡夫，還沒有脫離一切的苦難。因此必須得現些瑞音，使大家一讀這個序分就生起一種殊勝感，以後才信得堅，才會對這部經的義理產生一種信心，所以這部經的序分跟其它的經典不同。

「出如是等不可說不可說音已」，這個是把前面經文總結了一下，現了光明、現了音聲就到此爲止了，後面要說的，除了諸佛菩薩還有很多大衆，因爲是在忉利天說法，來的都是天。

「娑婆世界及他方國土，有無量億天龍鬼神，亦集到忉利天宮。所謂四天王天、忉利天、」

「娑婆世界及他方國土」，不光是這個娑婆世界了。「有無量億天龍鬼神，亦集到忉利天宮」，有無量億就都包括了，「億」再加個「無量」，是說這個數字算不清楚了。「天龍鬼神」，下面的諸天都包括在內了，後面也要說鬼神，這是總說，後面就是別說了。這些天龍鬼神都是哪些呢？「所謂四天王天」，最低的就是四天王天，據我們人間說的，這是第一重天。有關這個四天王天，我們經常說的就是三十三天，三十三天就是王天，每一天統領兩部，我們經常說是八部鬼神，就是每一天統領兩部，四天就八部鬼神，四八三十二，在中間的是忉利天。

忉利天，經上說的是在須彌山頂，四天王天是在須彌山的山腰，加起來就是我們經常所說的三十三天。

「須燄摩天、兜率陀天、化樂天、他化自在天、梵眾天、梵輔天、大梵天、少光天、無量光天、光音天、少淨天、無量淨天、遍淨天、福生天、福愛天、廣果天、無想天、無煩天、無熱天、善見天、善現天、色究竟天、摩醯首羅天，乃至非想非非想處天，一切天眾、龍眾、鬼神等眾，悉來集會。」

這些是聽法的大眾，因爲是在天上說法，不像在人間說法，到哪個國土就是哪一個國土的國王、大臣、居士、優婆塞、優婆夷，並沒有這樣提，都聚集在兜率天去了。因爲前面說了那些音聲，放了那麼多的光明，是做什麼的？召集的，有的見到光來了，沒有見到光不會來；並不是這個世界上所有的天都來了，也不是他方國土所有的天都來了，而是根據佛所出的音聲、所放的光明召來的，佛的聲音是遍法界的。

佛的音聲是無窮無盡的，能夠遍及一切，對一切衆生就是圓音。什麼叫圓音？廣東人也好、福建人也好，不論你是哪省人，不論哪個國家人，英語也好、西班牙語、法語，不論哪種語言，佛說一音，法國人聽到佛說的是法語，英國人聽到的是英語，中國人聽的是華語，「如來一音演說法，衆生隨類各得解」。

各個天有各個天的界限，下界的天不能知道上界天的事情，上界天能知道下界天的事情。天人了解我們，我們不知道天人；天上的事情我們不知道。佛的一音，隨你是哪一類衆生，都聽見佛是跟你說的。我們人間有沒有這種現象呢？當然不能跟佛一樣了，但是我追隨的幾位老和尚，老和尚說的是湖南口腔，完全沒有變，爲什麼他的弟子哪一省人都有？不用待很久都可以懂得他的話了。

我第一個學法的師父是慈舟老法師，他是湖北隋縣人，說的語音完全是土音。佛經是很古老的文字，念經文不要很久時間也就懂了，這個中間有一種感應的加持；雖然不能像佛的圓音，但是中間有一種感應的加持力。我在東北出家之後到了福建，遇見兩位大德，剛開始的時候聽他的話完全不知道在說什麼，但是經過一段時間也都懂了，這中間有一種加持力，佛法不可思議的就在這些地方，因此佛的音聲是不可思議的。

因爲前面的那個光，爾後的那些音聲，有緣的天、龍、鬼神都來了，這是一種原因。後文所說的，佛向文殊師利菩薩說，這些都是地藏王菩薩教化的，包括了哪些佛菩薩，多數的佛經是這樣說的。佛經上說，地藏王菩薩現的是比丘身，但是他所教化的大衆，很多都成佛了，他自己還是示現聲聞比丘，這是大權示現。權者就是權宜方便，方便就是善巧，方便善巧利益一切衆生。

「天」，印度話叫「提婆」，天的果報跟我們人間的果報是不一樣的，我們所說的神仙跟現在所說的天人也不一樣，那是人仙不是天仙。你持五戒、行十善就會生天，這是欲天。要感到梵天以上的，就要修禪定，沒有禪定的功夫是生不到的，五戒十善的善果就生不到梵天，梵天以上的四禪天是生不到的，那個果報必須修禪定，這是天。

什麼叫「龍」？印度語的原話「那伽」，龍有多少種類？我們以爲是海龍王，以爲龍都在海裡，不是的！印度守寶藏的也是龍在守，有些是帝釋天宮殿的守門者，就是我們說的警衛，這種龍就是天龍，跟海裡報得的龍不一樣的，海裡報得的龍跟蛇差不多，他也有八種苦。

「鬼」，鬼道分得可多了，我們普通說的就是「薜荔多」，「薜荔多」舊譯是餓鬼。

「神」，神就字義上講就是變化莫測，這個人做什麼事不假思索，而且做出來很巧妙的都叫「神」，或者那種藝術到了頂點，達到神妙了，我們也叫「神」，「神」是指神妙的意思，是通稱的；但是此處所指的「神」是指八部鬼神衆，八部鬼神衆就是爲忉利天的天王叫帝釋，有的給他做藥神的，有的給他負責任的，這是歸他所統轄的，八部鬼神直接的上司是四天王。

四天王天是我們人間上面的第一重天，我們所說的天，天人第一重天，一般的說是須彌山的中間，它要假日月光，本身沒有光明，也跟我們一樣要有日月光的照耀。因爲東勝身洲、南贍部洲、西牛貨洲、北俱盧洲這四大部洲是在須彌山的四面，彼此不相知，因爲有七重鹹水海、七重金山隔著，這個界跟那個界不同，壽命不一樣，生活的情況都不一樣，語言更不一樣。光是我們南贍部洲的已經不一樣了！中國到美國就不一樣了，這都是在南贍部洲裡頭，就是我們現在所說的地球。

忉利天，在四天王上面，也就是第二重天，距離人間的第二重天，忉利天有時候翻成三十三天，把四天王也包括在裡頭，這個是我們欲界的第二重天，它就到了天頂天，到須彌山頂了，但是沒有離開地，須彌山還屬於地，前面四王天在須彌山的中間，沒有離開地，但是這個地我們到不了。這一重天距離人間以華里計算，是七百二十萬里，這重天的天人的身高一百六十丈，一百六十丈有多少層樓房高？登泰山而小天下，泰山就很高的，才兩千公尺，比四天王天的天人的身高還不到，忉利天更高得多了。

第三重天叫須夜摩天，須夜摩天的情況比忉利天又高了一層了，欲界的第三重天，日月的光明沒有用，因爲日月光明在它底下，照不到它了。它以什麼爲光明呢？這種天人的身上有光明，他自己放他身上的光明。我們人有沒有這種光明？人修得了就有了，唐代李通玄長者著《華嚴經合論》時，沒有燈了，他的兩個眼睛就像電燈似的，晚上著書的時候他的眼睛就放光，這是一個特異的功能。清涼國師也是特異的，晚上眼睛也會放光。

人間也有，有一位大德，他有一次看經，看經入定了，大概過了十二點，他還是照樣看，忽然想方便，到洗手間去，他這麼一想，完了，看不見了！到洗手間看不到了！他想：「這是怎麼回事，天黑了嗎？」其實都過半夜了，看經入定了。並不是坐那兒閉著眼睛才叫入定，做什麼事得了三昧就入定了，這種光明人人都可以有的，就看你能不能發揮。

這個天的光明是用身上的光明，它沒有黑夜也沒有白天、晝夜，他怎麼知道呢？又怎麼來計他的壽命呢？天上有各種花，蓮花的開闔，蓮花一開就是白天，蓮花一闔就是夜間了，以蓮花開闔來定時分。

天人的身量兩百四十丈，比前面多一倍，壽命兩千歲，往上一天都加一倍，比下天加一倍，人間的兩百年爲須夜摩天的一晝夜；不是一百年了，也加一倍，所以它叫妙音時分。妙音就是你身上的光，以那個音，以那個蓮花的開闔來定時分，所以叫須夜摩天。

我們人間要活到一億四千四百萬年才是須夜摩天兩千歲的壽命，所以他可以看見人間的變化。要生到這個天必須修五戒，光行十善不行，還要布施，以布施、不殺、不盜、不邪淫的功德，才能生到須夜摩天。

第四天是兜率陀天，也翻爲都史多天，這是欲界的第四重天。兜率陀天跟其它的天不同，分內院跟外院。內院是菩薩住的，要來這個世界成佛，就是等覺菩薩了。要即佛位的，都住在兜率內院說法，這是大三劫不壞的。而外院是凡夫天，外院是會壞的，是他的報所感得的，不是功德的。

這個天的情況跟須夜摩天不同的一點，因爲它離人間的地表有一百二十八萬里，比前面又加一倍，而且地是雲彩的，我們坐飛機上一萬公尺高往下看，那雲彩像大地一樣的，而雲彩齊集在那些雲峰像山一樣，我們一看到那個想到天上的境界了，大致亦如是。現在有沒有到過天上去的呢？在這個世界上去的人恐怕還是有，也不止一個、兩個，但不是我們這一類的人，都是修行得到一定道果的，修行相應或者在定中、夢中他也有去旅遊過一下子，這個事情是可以證實的。

兜率天跟前面的三天不同，一共一層一層的有五十層，這是業報所感的，不是我們人工修的，有五百億的天宮，每一個天宮就有一個宮主，裡面還住著很多的眷屬。兜率天比前面又加一倍了，三百二十丈高，壽命四千歲，人間的四百年只是兜率天的一晝夜，以人的年限來計，兜率天四千歲，就是人間的五億七仟六百萬年，地球早發生變化了。生兜率天，主要是以布施，再加上身三口四，不殺、不盜、不邪淫、不妄語、不綺語、不惡口、不兩舌就能生到。

第五化樂天，又叫樂變化天，這是六欲天的第五天，什麼叫樂變化天呢？

已經能把五塵境界色、聲、香、味、觸變化，做成他的快樂，他一切的愉快都是變化而得的。距離人間三百五十六萬里，地底也是雲層，以雲爲地，仙人的身量是四百丈高，壽命八千歲，人間的八百年才是他的一晝夜，以人間來計算，天壽就是兩百三十多億年，也是由於布施、持戒、多聞，多參加法會、多聽經。持戒，是指五戒說的，他修持善業比前面的持善業要增上一點，修得更完善一點。

第六天是他化自在天，欲界天到此爲止了，他的自在受用的情況都是由他化現的，前面第五天都是化現，第六天更是化現的，所以叫他化自在天。天人的身量是四百八十丈，壽命比前面加一倍，一萬六千歲，人間的一千六百年爲他一晝夜。十善生了後又多聞，他們參加諸佛法會的時間就多了。以他的神力到人間參加法會容易了；但是有些天人沒有這種因緣，光去享樂，不去參加聞法。

好樂多聞讓他在人間喜歡持戒，喜歡聞法，孝養父母、恭敬師長，功德增上，能生此天。同時這重天所有的宮殿都在欲界跟色界之間，因爲欲界的頂天上面就連著色界天了，這中間有個魔王宮殿，魔羅天是在六欲天的頂天，他的神通是相當的大。

這個天加個「他」字是什麼意思呢？一切變好的東西，以他的力量把人家奪過來了，叫他化自在天，把人家的好奪過來他自在了，這是自然的，這是他感的果，他自己不用變化的，等化樂天變化好了，有份供養給他。

這個所分的層次，是以我們前面講持五戒、行十善來分的。但是有的經不是這樣分的，像《楞嚴經》說諸天是以欲念來分，越往上越輕，輕到他化自在天，漸漸就沒有了。四王天跟人間基本是一樣的，有夫婦關係。在四天王天只要彼此拉拉手就行了，拉拉手就等於跟人間一樣了；他化自在天就是不能見面，不能笑，一笑就跟人間一樣了。「四天王拉手兜率笑」，兜率天笑一笑就行了，再往上就更輕了。

《楞嚴經》就是以這樣來分的。當然到了天道就跟人間不一樣了，他輕微得很，到燄摩天，沒有晝夜也沒有什麼，彼此的情況也就不是這麼樣。到他化自在天變化的更不一樣了，所以六欲天就是以他的欲煩惱來分的；欲煩惱越輕生的地位越高，《楞嚴經》是這樣解釋的。

各種經論解釋的不一樣，就像我們生到人間一樣，各個的因緣不一樣，天亦如是，我們人間的貧富、壽命、男女、相貌美醜，這種事各個都不一樣的，因此天上也如是。就是隨他所做的業，做什麼業就塑造一個什麼形象，人間個人塑造的形象不一樣，因此感的果也就不一樣。只要你做善業，所感的果報；無論生人、生天都會得到善果的。

在當時，釋迦牟尼佛到忉利天說《地藏經》的時候，除了六欲天之外，以上有十八天。這十八天分爲四禪，是以修禪的定力來定的，四禪天就是初禪、二禪、三禪、四禪，一至三禪天各有三天，到第四禪天有九天，一共就是十八天。四禪天又分凡夫住的天、聖人住的天，四果阿羅漢、三果阿那含他們住的天不是在人間，而是在天上。

所住的四禪天，這九天當中有凡、聖兩類。凡是有漏的，還在六道輪轉的就是凡夫天，就是有漏天。三果聖人就不來人間了，他跟阿羅漢果一樣再不受生了，就無漏了，叫無漏天，也叫五不還天。色界天人離開了我們人間的粗重煩惱，也離開了欲界六天的粗煩惱。粗煩惱就是粗重的煩惱，但是細煩惱還在，這個天是以煩惱來分他所生天的高低。因爲他在色界範圍之內，沒出三界，色、受、想、行、識還在色界之內，因此就叫色界住天；四空天就離開色界了，無色相可得了，因爲在色界範圍之內，所以還叫是色界。

這些天人生到天上是假藉禪定的功夫，這個禪定的功夫是有漏的，不是了生死的。修禪定還沒有達到聖果的時候，以他禪定功夫的淺深生到這個天上。梵衆天、梵輔天、大梵天是初禪的三天，他離開凡間，生起一種禪定的歡喜，這三天叫離生喜樂地。他禪定時生起歡喜，離開了下界諸天生到禪天，進入禪定的功能叫離生喜樂地，就是說初禪天的天人脫離了欲界的淫欲，沒有夫婦關係，他粗重的煩惱已經斷除了，所以生在色界的寂靜處所，這一天比六欲天清淨得多了。

梵輔天的壽命是四十小劫。這個身量，大梵天是半由旬，一由旬是四十里，半由旬就二十里那麼高，把二十里立起來說，一個人身量有這麼高，我們是不能想像的。

三天同居一地，這跟前面不同，前面的一層天是一層，初禪天是三天在一地，只是按他所修得的功力，所得的報德的不同而分的優劣，所居的地處是一樣的。

我們同生在這個地球上，人的身量不同、高低不同、膚色不同，但是他的德跟他所行的業大致是相等的，高低差不了太多，差太多他就生天上去了，不會來人間；差得多就下地獄，也來不到人間。這都是按他相等的層次來分的，天也如是，所以這三天同在一天。到了梵天，誰優勝誰就是王，大梵天就是優勝的，梵衆天當然就是臣民了，梵輔天就是臣佐了，大梵天就是天王，我們經常稱大梵天王，有的稱他叫四面佛。在印度的婆羅門，是大梵天王的子孫，《華嚴經》叫「淨裔」，是清淨的大梵天王遺留下來的子孫。

這個天都是坐禪生到這個天。這個天不需要飲食，以禪悅爲食，坐禪坐到相應處，飲食就沒有用了。這不像我們說的打禪七，打禪七肚子餓得一直叫，又沒有禪定的功夫，那是活受罪；看人家不吃飯，你也得修行不吃飯，不吃飯有那功力嗎？有時候一天不吃不行，還得兩天不吃，兩天的功力增上了，三天不吃也可以，他並不是像我們餓得慌，他一入了定，周身的血液都是微細流轉，不像我們的血液循環是很粗笨的，而是在若有若無之間，乃至於坐到微細了，身體就感覺到飄飄然的，有的人坐禪坐得感覺到飛起來了，其實他身體還在地面，這就是修禪定的功夫。

練氣功的人，是他的氣支配他，自己做不了主，亂甩亂跳的。禪悅食則是定中的感應，是以禪悅為食，他就沒有飲食了，也沒有男女之間的愛戀；到了梵天，這種意念已經沒有了，所以愛戀不生。因為沒有愛戀，他不留欲界了，他無欲了，所以才能感到梵天的果。

「少光天、無量光天、光音天」是二禪天，二禪天講得很多了，講到三災的時候火燒二禪，火災能把二禪天燒了。三災時候二禪天燒化了，不管他怎麼清淨，劫難來的時候還是無法脫離。

剩下的「少淨天、無量淨天、遍淨天」是三禪的三天，四禪有九天。四禪天的九天還有分別，前面四重天還是屬於凡夫的天人所居住的，後五天就是五不還天，是三果聖人所居住的地方，證到了三果，他不來人間也不到欲界，就在五不還天裡去了，這五不還天都是三果居住的，這一天叫無想天。在這個四天當中有個廣果天裡，另外一天就是無想天。無想天指的是修外道的，外道的修禪定、修功德，外道只是說他不能證聖果，他也要修行，不論中國的道教也好，像西方的基督教、天主教，還有印度的波羅門教，他們修行好的要感果的，在廣果天中有一天叫無想天，外道所感的果報是生到這一天。

因爲在修道的時候一念之差，兩天的分別不同，正念的，不再輪迴的，就到廣果天去了，念裡頭還有一點雜念的，叫輪迴的仙道，生到無想天去了。總而言之，第四禪天這九天的天人是沒有苦樂之分，他的意念當中沒有苦、沒有樂，苦樂雙亡。因爲他入定中沒有妄念、雜念了，都捨棄了，因此這一天叫捨念清淨地，在這天人當中，他的一切念頭沒有了，不斷善惡之念，其它之念也沒有了。

我們所說的天是籠統的說，「天人」這個字就代表了，這個天包括很多的層次，人也如是。人跟人不同，我們要是弄清楚了人的複雜性，天也就大致相似了；鬼道亦復如是，隨便哪一道，籠統說一個名詞而已，它的內容相當的複雜，我們就說小的，簡單地說。舉例太廣了，我們的心量是達不到的。

來這個法會的是其它國土的天人，佛經講的很龐大，爲什麼這麼多的天人、鬼神來忉利天聽佛說《地藏經》呢？我們的信心怎麼樣能生起？我們平常不是有這麼一個概念嗎？「佛教是不信鬼神的！」這話對不對呢？但是《地藏經》全是鬼神，是不是矛盾呢？這裡頭還有些問題。我們怎麼樣能夠對《地藏經》生起信心，我們得有個興趣、有個愛好，《地藏經》以什麼引起我們的愛好？「我學《地藏經》是因爲怕下地獄，《地藏經》說，念這部經就不下地獄！」地獄在哪裡？我們共同想一想，怎麼樣回答這個問題，我們怎麼樣能生起學習的、信仰的情趣。我們是有情的，我們必須對它有感情，有感情、有興趣了，我們才去做。

因爲信佛，我從中得到利益了，簡單舉個例子：我剛才講煩惱，我們人人都有煩惱，但是學了佛之後煩惱輕一點了，或者是說不再亂發脾氣了，遇事不會生起瞋恨心，不會盡責備人家，總看不見自己的過錯，這樣子我想會受到一點利益。但是佛說每一部經都有每一部經的用意，說《地藏經》的因緣是因爲佛說完《地藏經》，下到人間就入涅槃了，他來到人間，他母親生他沒多久就死了，死了之後生到忉利天了，他到忉利天是報他母親的恩，說：「佛的化緣已經圓滿，現在要離開天人之間了。」

這是僅就化緣當中這樣說的，這部經是報他母親的恩，因此我們人人對母親的意念特別強。有人問我：「地藏王菩薩怎麼只報母親恩，把他父親忘了？他只報母親的恩，怎麼沒有說報父親恩啊？」這個問題大家想一想，報母親恩就是孝了，父親恩怎麼會忘了？這是個問題，但是你對這部《地藏經》先要有個認識，再提出要求，什麼要求呢？聽這部經我想得到什麼？我們的目的是什麼？完了就列出學習的標準。

接下來，大家的關注力也要改變，先說你爲什麼要聽這部經？聽這部經想得到什麼，從這個得到什麼好處？我們道友們有的信佛很多年了，你要是問他：「你從中得到什麼利益了？收到什麼效果了？」好像也沒有得到什麼，信仰力是有，大不大？沒有全信，有的原地踏步，那還算不錯，有的早退回去了，退到哪裡去都不曉得了，所以這是一個問題。我們大家犧牲很多的時間沒有收到什麼效果，就像我們要經營商業，做一點什麼事情都必須看見效果，看見效果幹起來才起勁，要是見不到效果，就都退了。就爲了求家宅平安，現在家裡頭沒有什麼事啊！求發財，好像學了佛的人做生意也沒有怎麼樣發財，還是差不多，有時候還會倒退一點兒。

沒有信佛還好，一信佛倒霉事接二連三的來了，這裡有個原因的，我沒有解答，提出來這麼多問題，希望我們道友都想一想，有的道友是受過三皈依的，是佛弟子了，沒有受三皈依的，我們互相的去感通，什麼叫感通呢？念佛或者在佛堂自己念經的時候要迴向，迴向你自己，把這個功德迴向你開智慧，也要迴向我，你迴向我什麼呢？你也增加我的智慧了，因爲我迴向你，你必須得迴向我，彼此迴向才能相通，不然我給你迴向，你也接不到。

像接力賽、傳棒球或傳什麼東西，我傳給你，你接到，你傳給他，他才能夠相通，我每天早晚念經給你們迴向，凡是誰聽過我講經的，受過三皈依的，我都給你們迴向，這是總的迴向；希望你們開智慧，家宅平安，你做的事情能夠成就。我一個人的力量小，我迴向能得到嗎？不行，要大家的迴向，人人都迴向。先不說希望這個世界太平了，這個要求過高了，我們沒有那麼大的智慧，沒有那麼大的功力，我們求佛、菩薩的加持力量沒有那麼大，但是求我們這個法會的大衆是很容易的，因爲人數不多，你也求這些人，我也求這些人，互相的交叉。一盞燈光是很小的，燈光多了，交叉的燈光就大了，這個力量就大了，一個人拿不動東西，一百個人拿絕對沒有問題。

「復有他方國土，及娑婆世界海神、江神、河神、樹神、山神、地神、川澤神、苗稼神、晝神、夜神、空神、天神、飲食神、草木神，如是等神，皆來集會。」

除了天、龍、鬼神，其次還有他方國土的，「復有他方國土」，有的不屬於這個世界的，有的是這個世界不屬於南瞻部洲的，現在不但娑婆世界的八部鬼神、諸天都來了，還有他方國土的，無量億的天、龍、鬼神。在沒有正式的說法之前，先說有哪些大衆參加，說這麼多的意思就顯得地藏王菩薩的功德特別的大，他度的這些人，文殊菩薩不知道，釋迦牟尼不知道，可見是殊勝的殊勝了。

前面只提鬼神，這個地方就把名稱說出來。

「復有他方國土，及娑婆世界，諸大鬼王，所謂惡目鬼王、噉血鬼王、噉精氣鬼王、噉胎卵鬼王、行病鬼王、攝毒鬼王、慈心鬼王、福利鬼王、大愛敬鬼王，如是等鬼王，皆來集會。」

「鬼王」，王者就是統帥的意思，他要管很多鬼，這裡列舉了他方國土跟此世界鬼王的名字，這些鬼王在鬼裡頭當王也還是不容易的，也要有點善根，多少還得做點好事，沒有做點好事也當不了王。哪一類的都有統領的人物。鬼神都有主子，像原始人類還是有部落，用不了多久就形成一個部落。人的際遇總是不同的，到了一定時間總有統帥人物的出現，總有被人家統領的，這個是必然的。一者是因果力，二者是他的業力，個人所造的業是不同的。

鬼王的第一個條件是必須行布施，行施捨心，在過去世種了很多的施捨心，有布施心，還得有善業，不然他到不了這個會，這個會所表現的都是有點福業的，不管哪一類，要當王總是好一點。

第一個是「惡目鬼王」，這是瞋心感果，惡目瞋心很重的。人的心要是盡打壞主意，生惡心眼，相貌就變得惡了。所以醜陋跟美好從什麼來劃分？我們經常說：「心生種種法生，心滅種種法滅。」心就好像我們的思想，沒有什麼相狀可以形容的，但是從你心裡頭所生起的念，所生的氣表現在你的面相上。有人去看相，看能否發財，其實不用人家看，你做好事就能發財，這就是因果了。

惡目鬼王雖然是做了王，給他取個「惡目」，是因爲他的瞋恨心太重，這是福報感的果。當了鬼王，鬼王就有得享受了，他跟其它的鬼所受的痛苦不一樣，起碼在衣、食、住、行是很好的，但是人就是不喜歡見到他，看到他就像仇敵似的，他眼睛的表情很兇惡。我們有時候看人的相貌很兇惡，不願跟他談話，走路都要避開他，「爲什麼碰到惡人，跟惡人鬥？」他感這類果，由於他的業力，做的布施，能夠當到鬼王。鬼王統帥的鬼的數字是不少，每一類的鬼都不少。

「噉血鬼王」，在《正法念處經》單講這一類鬼，專喝人的血，所以叫他噉血鬼，因爲這一類鬼在爲人的時候喜歡吃血食的動物，但是我們大家沒有看到。好比我們吃肉，要把它變化一下，肉煮熟了，還不太有什麼感覺，看不見；我見到的是少數民族，西藏人、西康人，他們的吃法不是這麼吃了，牛殺完了，皮一褪的時候，一人掏把刀，就割新鮮的肉來吃，我們是不敢看的，但他們就這麼割著一條一條吃。

像這類噉血的鬼王，就是我們所說喝人血的鬼，他心裡頭還有慳嫉，惡目是瞋恨心的表現，這個是慳貪、嫉妒，所以他就以吃血爲生。我是形容這一類鬼的本質，不是這個鬼王，也不是到地藏會上的這個鬼王。鬼也像人似的，不是都一樣的，人有多少類，生活不一樣，習慣不一樣，民族、膚色不一樣，一切都不一樣，鬼也如是；但是我們要知道，這些鬼能夠到這個法會，比人強了，他雖然有業，但另一方面還是殊勝的，有時候我們管這一類鬼叫夜叉鬼，吃血的。

我的師公上元下福老和尚就碰到過這種噉血鬼。有一天晚上，大概過了十點鐘，那個時候大陸上還沒有抽水馬桶，沒有那麼好的洗手間，洗手間離寺廟的殿堂很遠，要走很遠的路才能到達廁所的地點。他穿一身淺灰色的小褲褂去解手，回來時候全身都是血，我們幾個小和尚給他換衣服，他的臉也白得不得了！他是很有道德的老修行，不認得文字，就是眞修實行，禮拜參禪。我們幫他梳洗，身上一點傷也沒有。我們問他：「怎麼會出血的？」他說：「我今天晚上碰到夜叉鬼了，他吃了鮮血，因爲我這麼一念咒，可能吃下的血都吐出來了，弄得我滿身都是，你們不要管我了。」我們都走開，他自己又打坐，第二天就好了，就像沒事一樣的。

能碰到這種鬼有二種情形。第一種最倒霉了，他跟你有緣，也得有業，他才能夠沾到你的身；第二種，他不顧一切的想得道，想成鬼仙，吃有道德但修還沒有成的，修成了他當然動不了，將修沒修成的，取他的血做養分。

「噉精氣鬼王」，他吃精氣，不一定吃人的精氣，五穀都有精氣，我們吃的五穀是五穀的粗分，他吃的五穀是五穀的細分，他只吃氣體就可以了。凡是生爲鬼都是由於他的業，有的時候欺騙人，言詞很巧妙，或者騙術很高明，就像噉人家精氣一樣的。

「噉胎卵鬼王」，在道書上叫「紫河車」，「紫河車」就是剛生產時的胎衣，他專吃胎衣的血，所以叫噉胎卵鬼王。

「行病鬼王」，就是瘟疫，哪個地方要是害瘟疫了，或者發生傳染病，就是這類的鬼在作崇。

「攝毒鬼王」，也可以說是放毒，能攝能放，就是放蠱的，在我們漢族地區很少，到了青海跟西藏、雲南、四川交界地區，你走到那裡最好搭帳棚，不然不要在那兒過夜。在那兒喝水也中毒，吃飯也中毒，你走出這個方圓五里必須得回來，馱的豆子或者帶有金錢或物品送給他一些，請他給你消蠱，消完就沒有事了。事先知道就跟他說：「我住這個店裡，給你很多東西，你不要放蠱。」他就答應你不放蠱，他也講信用的。這一類的人也當成攝毒鬼王了，他能夠使你喪失性命。

「慈心鬼王」，這一類鬼王就好了，他能愛護一切衆生，給世間人的都是快樂的事情，鬼也有好鬼，神也有好神，人也有好人。

「福利鬼王」，這種鬼所作所爲是對人有利益的，我跟人開玩笑說：「如果我們這些出家人沒有成道，死後到鬼道去就變福利鬼王了，儘給人家福利，也是在行菩薩道。」

「大愛敬鬼王」，大愛敬就是見了持戒的人、修道的人，受了三歸五戒，一念善事，他都恭敬你，他經常做饒益一切衆生的事情，像這一類鬼王都是大菩薩示現。

上面一共列舉有九種鬼王，前五種是惡的，是在懲罰人，有的衆生你懲罰他，他反而恭敬你；你對他軟腰、對他好，他認爲你可欺負，現在我們人間這一類事多得很。後四類是善的鬼王，他對人類就儘做些好事。這些鬼王不論善的、惡的，有一個共同點：雖然做鬼王了，對於鬼的鬼王身分厭惡，他願意捨棄，尋求佛法，因爲尋求佛法的緣故，他也希望解脫，連他們的神通都不想要。

當你念經的時候，如果感覺身上忽然發冷、忽然發熱，忽然的毛孔都豎立了，好像後面有個人似的，明白知道什麼都沒有，總想回頭看一看，因為心裡不放心。念經時之所以會有異樣感，有兩種情況：一種是這些種類的鬼神來聽你念經；或者是護法神，有護法神你感覺到心裡非常愉悅，念經念起來就很舒適，那就是有菩薩加持，或者有時天王來聽經了。

有時感覺到不大舒服，那個鬼王也不是有意的來妨礙你，他是來聽經的，由於他的氣體使你不安寧。就像我們吃素吃久了，坐飛機上看到吃葷、吃大蒜的人，你坐在他跟前簡直要吐，還有不抽煙的人要是坐在一個抽煙的人跟前，他抽上三根都沒有離開，你的腦子一定痛，薰得受不了。這就是息相通，因為他畢竟不是生到空中去，他要是接近你，他就有個氣體，無論哪一界的，雖然你見不到，但是氣體是相通的。

「爾時釋迦牟尼佛，告文殊師利法王子菩薩摩訶薩，汝觀是一切諸佛菩薩及天龍鬼神，此世界、他世界，此國土、他國土，如是今來集會到忉利天者，汝知數不？」

現在這個法會還沒有開始，就聚集了這麼多諸佛菩薩，爲什麼沒有說人呢？因爲是在忉利天說法，不是在人間，沒有國王、大臣、四衆弟子圍繞，因爲在忉利天，沒有神通是到不了，這都是有神通的。來的像雲彩似的那樣多，遍滿虛空都是。因爲上首弟子法王子是文殊師利菩薩，所以釋迦牟尼就告訴文殊師利菩薩說：「你看一看現在來這個會裡頭的諸佛菩薩以及天龍鬼神，這個娑婆世界的或者是別的世界的，你知不知道現在來了多少天、多少龍、多少鬼、多少神、多少諸佛、多少菩薩？」

「文殊師利法王子」，我們有時候稱爲「曼殊師利」，有時候稱爲「妙吉祥」，有時候稱爲「文殊師利童子」，總而言之，翻譯的名詞很多，或者翻「妙德」，或者翻「妙善」，或者翻「妙吉祥」，都是文殊師利菩薩以他所修的業所感應而得的名。文殊師利菩薩是七佛之師，他早已成就道業了，他行的六度萬行是以智慧爲最大的，德圓果成，但是他示現爲菩薩，這一類的大菩薩都稱爲倒駕慈航。就像釋迦牟尼佛，我們知道在兩千五百多年前他已經入滅了，入滅就是入了涅槃，涅槃了就不生不滅了，實際上他還在這個世間利益衆生。

終南山弘揚律宗的道宣律師，我們出家受的戒以及現在所學的戒都是根據道宣律師所弘揚的南山戒律。道宣律師在唐朝威名遠播，因此他感得天人給他送供。天人給他送供的時候，他就問這個天人：「釋迦牟尼佛涅槃之後，現在住到什麼地方？」天人聽他這麼一問感覺到很詫異，不知道怎麼回答好，就反問他：「你問的是哪一位釋迦牟尼佛啊？」他說：「就是在印度出生的釋迦牟尼佛，釋迦牟尼佛只有一位，哪有很多呢？」天人說：「那是你看的，我們看的釋迦牟尼佛太多了，以我的天眼觀，都不知道有多少釋迦牟尼佛，你說的是這位釋迦牟尼佛在這兒入滅了，在這兒化現了；我看見釋迦牟尼佛正在說法，正在投生，正在做事。」

由此可知，我們所認爲的，其實是我們肉眼所見的情況，天人看見的情況不一樣。釋迦牟尼佛距離我們這個時候已有兩千多年了，四天王天他的壽命五百歲，我們人間五十年是他的一晝夜，我們人間的五百年是他的十天，兩千五百年也只有他一個多月，他要是活五百歲，能見到很多，很長的時間，時間不一樣，壽命不一樣，他所認識的情況跟他所處的環境都不一樣了。因此對於佛、菩薩，我們要以聖境來會，不能以凡夫的知見來對待。

文殊師利菩薩在各部經上都承認，觀世音菩薩就不一樣了，你到印度說觀世音菩薩，沒有人知道，地藏王菩薩更是神話了！在我們國土所說的大菩薩，在印度是不承認的，南傳佛教也不承認，也不相信。

我在北京辦中國佛學院的時候，南傳國家派一位教育部長來參觀，他到了法源寺，不進大殿門，我們大殿裡頭有尊釋迦牟尼、阿彌陀佛、藥師佛，前面是八大菩薩，他說我們供這些鬼幹什麼？他不承認八大菩薩是佛，我們跟他解釋，他也不進去，認爲我們是外道，他們的殿裡只有一尊釋迦牟尼佛，沒有其它的。但是一般的小乘佛教也承認文殊師利菩薩，因爲釋迦牟尼佛、文殊師利菩薩故事很多。

文殊師利菩薩經常在佛前，一次遇到結夏安居時他沒有來，因爲他是菩薩，菩薩不注意這一類的事情，也不拘小節，他有菩薩戒，但菩薩戒沒有結夏安居，隨時都要利益眾生。除了釋迦牟尼佛，迦葉尊者是上首，文殊菩薩回來時，迦葉就問他：「文殊師利，你哪裡去了？」文殊菩薩說：「這三個月我去三個地方，第一個月到波斯匿王王宮裡去了，給後宮的宮女說法；第二個月我住到女孩子學校去給她們說法；第三個月我到妓女院去了，因爲妓女最苦了，我去給她們說法。」

迦葉尊者一聽就說：「你還是佛弟子？」他就拿起木魚，集合所有的僧眾，逼文殊師利，不許他再進寺廟，他還沒打，文殊菩薩一個手抓住說：「你逼我哪一個？要把我哪一個攆出去？」他說：「我就是攆你！」文殊菩薩又說：「你看有很多的我。」迦葉尊者抬眼一看，整個寺廟全變成文殊師利菩薩，他趕緊把木魚放下了，他攆這個文殊，那些文殊還是在啊！這是形容菩薩跟比丘不同的，不要拿菩薩來要求比丘。

有很多人說：「你這個出家人怎麼不學學那些大菩薩？」我們怎麼學得了？大菩薩具足戒、定、慧，我們要是做了就要下地獄了。因爲他的智慧第一。文殊菩薩事例太多了，他降生有十種吉祥，所以又叫妙吉祥，大家都知道文殊師利菩薩是法王子，智慧第一，紹隆佛種。所以佛問他：「你有沒有看到，現在在這個法會集會的諸佛跟那些大菩薩、天、龍、鬼神有多少，你知不知道？」

「文殊師利白佛言：『世尊，若以我神力，千劫測度，不能得知。』」

我以我的神通力來測度現在到會場的究竟有多少天人？究竟有多少諸佛菩薩？給我一千劫的時間（這裡是指小劫）也不能知道它的數。

「佛告文殊師利：『吾以佛眼觀故，猶不盡數』。」

不但你不知道，今天到這兒來集會的有多少，「吾以佛眼觀故，猶不盡數」，不能夠詳細確定有多少人。

這裡有一個問題，以文殊師利來看忉利天，他一眼就望盡了，更不要說佛了，忉利天有多大，怎麼能容納這麼多呢？文殊師利都不知道數字，佛都不能盡知，這就叫不可思議的妙了。而地藏王菩薩所教化的就有這麼多，還有正在教化的，我們都算是地藏王菩薩教化的。我們念《地藏經》，念地藏聖號，我們算還是未度的；但是在那個時候，那是已度的、正度的，我們這些人還不算在裡面。這是顯地藏王菩薩的殊勝功德，讓我們學這個法的時候先生起殊勝感，生起不可思議感。

如果大家學過《維摩詰經》，那間丈室容八萬四千四十寶座，一個寶座高三萬二千由旬，他那間小屋子怎麼容得下呢？《華嚴經》上講「於一毛端現寶王剎」，一個汗毛的尖一個佛國土，一個佛教化的寶王剎在這裡頭，小能容大，一多相容，數字雖然多但是小大相容，也就是顯示不可思議的事。

「此皆是地藏菩薩久遠劫來，已度、當度、未度，已成就、當成就、未成就。」

我們不知道數目的這些諸佛、菩薩、天、龍、鬼神，都是地藏王菩薩久遠劫來所教化的，這些人都成菩薩了，成佛了；還有「當度」，就是正在度的，正在度的不是指我們這些人，那些鬼神、天、龍都是正在度的，集會到這個道場來受度法。「已度」的就是已經成佛、成大菩薩了，成了菩薩自然就快成佛。「當度」的就是鬼神，「未度」的，我們就在「未度」之處，或者是參加那個勝會的，還沒有得成就的。

「已成就」當然指諸佛了，已經成就佛果。「當成就」，那些菩薩都是當然要成就佛果的；「未成就」，那些天、龍、鬼神還沒有成佛，現在還在修行當中，還在行菩薩道當中。

「文殊師利白佛言：『世尊，我已過去久修善根，證無礙智，聞佛所言，即當信受。小果聲聞、天龍八部及未來世諸衆生等，雖聞如來誠實之語，必懷疑惑，設使頂受，未免興謗。唯願世尊，廣說地藏菩薩摩訶薩，因地作何行、立何願，而能成就不思議事？』」

文殊師利菩薩是很明白的，他是替我們這些未來的衆生請問的。

未來世的衆生，他聽到如來的這些誠實話，他們不會相信，一定會懷疑，因爲是佛說的，他顯然接受了，但還不免生起謗毀：「可能嘛？不可能有這種事！因爲度了這麼多人，他自己還是比丘身，現在還沒有成佛。」大家看見地藏王像都是比丘像，哪一尊地藏王菩薩是現菩薩像？沒有，都是現比丘像，所以他們一定要生謗毀的；「信」功德無量，「謗」罪過無邊。

這就是文殊師利菩薩請說地藏王菩薩功德，「唯願世尊廣說地藏菩薩摩訶薩」，地藏菩薩在因地修了什麼法門，發了什麼願，而能得到這種不思議的果？度的這些人就是他所感的果。這裡頭有信還有受，要能夠信受奉行，受者就是領納、接受、承擔。我們有很多的道友誦《地藏經》，就是信受而奉行。雖然是勉強受，但是他一邊念一邊懷疑，念到鬼神還會害怕，把它當成眞鬼了，以爲是害人的那種鬼。

「世尊，可不可以把地藏王菩薩怎麼修行的法門教給我們，他發了何願？能成就這麼大的事情呢？」這可以這樣說，凡是來法會的那些菩薩，每一個法會都分上、中、下三等，有的他信了，不但理解而且身體奉行，當時就有證得的味道，他聽了覺得非常的雀躍。比如弘一法師聽見靜權法師講到〈囑累品〉，放聲大哭，經也聽不下去了，大家問他怎麼回事，情感上他激動的控制不了自己了，這樣他能不信受、不弘揚、不奉行嗎？

有些人雖然聽了，但是心裡七上八下，半信半疑，有些人跟我一起念過《地藏經》，到現在還是常常跟我抬槓；還有一類，他不但不信、不行，還要謗毀。

小果聲聞不頂受奉行，可是不會謗毀，因爲他知道因果；但是天龍八部就不同了，他們容易生謗毀，他也有點小神通，不見得能夠信這類事。

文殊菩薩在會場上看到這些天龍八部，說他們都是地藏王菩薩度的，文殊師利的他心通也不是一般的。還有末法的衆生，這種殊勝法門對末法衆生最好了，末法的衆生都聞而生信，信而不疑，能夠如教奉行，就功德無量了。

有一位居士，不曉得他有沒有受過戒、皈依過，他問我一件事情：「像這種經書我們在家裡看不行嗎？不到寺廟裡來聽成不成？不需要人家解釋。」我說：「爲什麼？」他說：「有的老師的解釋我很明白，有的老師越解釋我越糊塗，不解釋我好像懂了一點，他一解釋我聽得糊里糊塗的，如此不聽不是好一點嗎？」我說：「佛陀教我們聞、思、修三慧，你自己看是不行的。」

他問：「爲什麼？」我說：「因爲你看過就忘了，聽一遍比看三遍還要領略得多。」他說：「有什麼根據啊？」我說：「有，《楞嚴經》就這樣講。」《楞嚴經》在抉擇二十五圓通的時候，一樣也是文殊師利肯定了，選擇觀世音菩薩耳根圓通，於是說：「此方眞教體，清淨在音聞。」眼、耳、鼻、舌、身、受、意，別的都是八百功德，除了耳根一千二。爲什麼耳根有一千二百功德呢？眼睛後面看不到，鼻子聞前不聞後，離我遠一點就聽不見、看不見了，鼻子也聞不到；耳根可不同，耳根聽的是圓的，在八方隨便哪一邊的聲音它能聽得到。有些人一入耳根永不忘記，凡是入耳的，聽一遍跟你自己看一遍絕不一樣，更不要說他解說的義理，他念一遍你聽到了，跟你自己看的不一樣。

因此能夠參加佛的法會，那是更好，聽佛親自宣揚地藏菩薩的功德，信心就堅定了。佛也顧慮未來的衆生，因爲這個法甚深難解，說他度了這麼多衆生，恐怕衆生懷疑，所以先讚歎地藏王菩薩的功德。

「佛告文殊師利：『譬如三千大千世界所有草木叢林、稻麻竹葦、山石微塵，一物一數，作一恆河，一恆河沙，一沙一界，一界之內，一塵一劫，一劫之內，所積塵數，盡充爲劫。地藏菩薩證十地果位以來，千倍多於上喻，何況地藏菩薩在聲聞辟支佛地！』」

文殊菩薩請佛說地藏王菩薩的願，和他所修行的行門，佛先讚歎他的功德，而後再說他的行和願。功德有大有小，果位上的功德也有大有小，佛用譬喻顯這個功德果位，說地藏王菩薩成就菩薩果位以來所做的功德，就像這個三千大千世界一樣的。

佛化的國土是三千大千世界，一個四大部洲算一個小世界，一千個小世界，爲一小千世界。一千個小千世界就叫中千了，一千個中千世界叫大千世界。這麼增加三次，總合起來叫三千大千世界。這一個世界裡頭所有的草、木、叢林，稻穀、麻、竹子、葦，山、石頭、微塵，一物一數，一個作一恆河。

印度稱恆河爲「天上來」，說恆河的水是從天上來的，因爲它的河水長，河沙非常的細，其細如麵粉。恆河沙的那個沙粒分不出顆粒，我倒過，你用手捻一把，跟泥巴差不多，又把這個恆河沙子一沙作一個大千世界，一大千世界之內一個微塵作一劫。這一劫時間之內所集的微塵，一微塵又作為一劫，這個時間太久了！說地藏王菩薩證了十地果位的時間，千倍多於上喻。

一般神仙的數字，文殊師利菩薩都知道，不需要一劫了，馬上就可以答覆出來，連文殊菩薩都要經一劫還算不盡，佛都不能知，這個數字太多了！「地藏菩薩證十地果位以來，千倍多於上喻，何況地藏菩薩在聲聞辟支佛地？」就是說地藏王菩薩在聲聞辟支佛地還有一段時間，那個時間也很長吧！從他最初發心的時候，乃至於他證得了聲聞果位，證得了辟支佛果位，有很長的時間。

「文殊師利，此菩薩威神誓願，不可思議！」

總說地藏王菩薩的功德，只能拿「不可思議」這四個字來代替了，用我們的心是思量不到的，大家集體的智慧談論也談論不到的，這就叫不可思議。

凡是說到不可思議，就是微妙的境界了，就是難知了。這是說菩薩的威神誓願不可思議。「威」，勇猛威力，「神」，就是妙、玄。我們說神通就是一般人做不到的，他表現出來，很神了，只是這個涵義。

還有他發的誓、願，願是初發願，誓是堅固的願，這個願力必須要做到的叫誓，這是誓願力，這些是不可思議的。

我們講《占察善惡業報經》的後半卷，說到菩薩的功德，讚嘆地藏王菩薩：「不可思議！」《十輪經》的好疑問菩薩也向佛問說：「地藏菩薩究竟是從什麼地方來的？他究竟做了什麼事？都成了什麼的功德善根？」這三部經是配合起的，《十輪經》說的很多，每一樣都形容他的功德海。這種形容上的最高境界都是達到不可思議，像我們凡夫更測度不出來了，這是佛跟文殊師利菩薩說的。

文殊師利菩薩說完地藏王菩薩的功德，就說他的效果，下面一段就說地藏王菩薩，你要是信他，聽到他的名字，我們會得到什麼好處？

「若未來世，有善男子、善女人，聞是菩薩名字，或讚歎、或瞻禮、或稱名、或供養，乃至彩畫刻鏤塑漆形像，是人當得百返生於三十三天，永不墮惡道。」

三十三天就是忉利天，他當有一百次生到忉利天，永不墮三塗。僅僅是聞到名字，讚歎、瞻禮、稱名、供養，或者是請尊紙像也可以，請尊木頭雕的也可以，請尊泥巴做的也可以，或者你自己拿泥巴捏一個也可以。

〈聖德錄〉中間有一段故事：有一個人在路上撿到一個壞的手杖，這個手杖頭雕的是一尊地藏像，他感覺把菩薩像丟到地下太不尊敬了，就把這尊像拿回去供在那兒，但是這尊地藏像已經燒得很黑了，很不好看，很不莊嚴。後來這個人病死了，到了閻王爺那兒去了，閻王爺要治他的罪，地藏王菩薩就來了，不過不是殊勝威德莊嚴的，而是黑漆漆跟他那個木棍上的像一樣，這個比丘就跟閻王爺說：「這個人是我的護法，是供養我的，因爲他供養我的關係，你把他放回去吧！」

閻王爺見到地藏菩薩來了就站起來，這個人在那兒看著，莫名奇妙的，他不認識，「那兒來這麼樣一個比丘？」等他回到陽間來，忽然間看到他供的手杖上頭的像，「原來就是這一尊像！」只是供這尊像也是有作用的，所以只要我們心誠、恭敬，紙像也好、木雕也好，你念《地藏經》把他擺到頭前，功德效果也是一樣的，就能夠不墮惡道，就能夠出離苦難了。

在〈三寶感應錄〉的要略裡面也有這麼一段記載：唐朝的時代，益州的法聚寺，有幅地藏王菩薩像，這尊像是坐一個床上，高約八、九寸，這尊像經常放光明，在唐朝麟德二年的時代，地藏王菩薩像放光的情況傳到長安，在這一年的八月份，皇帝下命令，照這尊像再畫一幅供到宮廷裡面。這樣一來，長安城所有信佛的人大家都畫、都供養，無論畫多少次，無論誰供養，一律放光。

爲什麼地藏王菩薩有這麼大的威力？有這麼大的感應？就是我們前面所說的，地藏王菩薩成就他累生的誓願以來，時間太久了，功力太深厚了，誓願太大了！我們大家都知道「地獄不空，誓不成佛」。有的人就認爲說地藏王菩薩永遠成不了佛，因爲地獄永遠不空；我說，地藏王菩薩早成佛了，地獄沒有的，眞有地獄嗎？

不錯！有六道有輪迴，在般若義上看，一切諸法是緣起性空的，是衆生的執著；但是你做的業，業果不亡，確實不虛的。如果像凡塵這麼執著，佛到了那個果位，像是人間的名利，說：「這個佛名望高、地位高，成了佛就究竟了。」這是凡塵的思想，佛得報我們的恩啊！他的成佛是我們幫助他的，如果他不度衆生、不行六度萬行、不利益衆生能成佛嗎？每個佛、菩薩要是不利益衆生不能成佛。大家看看〈普賢行願品〉的第九大願「恆順衆生」經文是怎麼說的？我們經常的要報衆生恩，就是這個涵義，不要執著。

但是現在講的不是理，你心裡的觀想也特別重要的，不要一講《地藏經》，地獄的名詞說多了，就想：「這裡有我們一份吧！」這裡沒有我們的份，我從來沒想到我會下地獄，幹什麼想下地獄？天堂都不願意去了，還要下地獄嗎？經常想的極樂世界、淨佛國土，說：「想行嗎？」想就是行了，十法界都是想的！不過想的方法不一樣，要修觀，要行持。

《金剛經》上講：「如夢幻泡影，如露亦如電。」但是現在我們的業果沒空，我們莫造業，造業要下地獄。其實你造的業也是幻化的，下到地獄也是幻化的，現在你的肉體就是幻化的，這是深一層的涵義。地藏王菩薩的境界就是這樣子，我們講《占察善惡業報經》，「一實境界，二種觀行」怎麼解釋？應該對照著來解釋，不要從現象上看，要以眞如實際的理體來看。

所以這些「威神誓願不可思議」，地藏王菩薩是以圓滿究竟證得了「一實境界，二種觀行」，他度衆生要是經常像我們這樣著衆生相，有情又有愛，那就不是地藏王菩薩了。還有，「地」是心地，「藏」是含藏無漏性功德，人人都是地藏，人人都是佛，以這種心情來讀《地藏經》，就沒有恐怖，沒有顚倒夢想了。

現在我們道友們有很多人讀《地藏經》，近半年來的感應很多，也有很多的事實，但是這只是小感，不是大感，眞正要求到大感應，那就是加持我們利益衆生。怎麼樣利益呢？把地藏王菩薩功德向每一個人讚歎宣說，這就是報答地藏王菩薩，使地藏王菩薩更加持我們，也使一切人都知道、聞到地藏王菩薩名號，減少罪業。

前面講聞到地藏王菩薩的名號都不會墮惡道了，那我們就都讓一切人聞到地藏王菩薩的名號，使人人都不墮惡道。不是你把這些人都感化，而是你能有這麼一個心，發了這麼一個願。地藏王菩薩最初也是從發願來的，當他沒有成就這種威神誓力的時候，不也是從發願來的嗎？我們現在效法地藏王菩薩，也可以這樣發願，也能得到這種利益、神力。

「文殊師利，是地藏菩薩摩訶薩，於過去久遠不可說不可說劫前，身爲大長者子，時世有佛，號曰師子奮迅具足萬行如來。」

前面講地藏王菩薩度了無量無邊不可說不可說的衆生都成了佛，成了大菩薩了，還有那麼多的鬼王、天龍八部。諸佛菩薩是已經成就的，這些鬼王是還沒有成就的；後面佛給堅牢地神授記，那些鬼王將來會成佛的。因此我們必須以一種平等的眼光觀照，來顯現地藏王菩薩的殊勝功德。

地藏王菩薩度了那麼多的人成佛，他怎麼能夠有這種殊勝功德呢？剛才我念的這一段經文就是說地藏王菩薩最初的發心因緣。佛教講任何事情都講因果，但是最初的因最難了，要碰上因緣，還要你自己的善根成熟、發現了，才能發起這個善因，但是發了心，遇到了挫折，不論經過多少劫、多少年、多少代都沒有關係，只要這個種子種下去了，到了一定時候它會成熟的。

這是說明地藏王菩薩最初在師子奮迅具足萬行如來面前發的心，在發心修行利益衆生的時候，是在不可說不可說劫之前，「劫」就是時分的意思，他最初發心想利益衆生的時候，或者學佛道的時，與現在距離的時間是不可說不可說劫之久。那個時候他是做什麼的呢？他是一位長者的兒子。

在那個時候有一尊出世的佛，叫師子奮迅具足萬行如來。地藏王菩薩在那個時候發心，就發這一念心，信佛了。他的發心是看見佛的相貌好、長得莊嚴，他產生欣躍心了，他也想得到佛的相好，就發了這麼的一念心，從那個時候開始，他就生生世世的來修行、來發願。

我們現在大家聞到地藏王菩薩，講他過去因地修行當中的一些事情，是讓我們也來學習的，讓我們也這樣做的，隨著他發心。這是講發菩提心，發了菩提心以後一定能結菩提果，所以現在地藏王菩薩雖然是沒有成佛，但他肯定會成佛的。說地獄永遠空不了，那是我們所看的，地獄實際上是沒有的，從體上來認識是沒有的。我說這句話，大家就用世間相來認識吧！有些人沒有看見過監獄，因爲你的六親眷屬沒有犯罪，用不著到那裡去探視，監獄究竟是什麼樣子你並不知道，就算看到監獄門，你也不知道監獄裡頭是什麼事，沒有那個業你是看不到的。

這跟我們現在的情況是一樣的，你沒有地獄業，永遠見不到地獄。有些人曾經見到鬼，他就相信絕對有鬼；有些人從來沒有見到鬼，就絕不相信，就是意要遇到鬼也得要有那個業，沒那個因緣，你想見也見不到。大家懂得這個意思，就知道初發心的功德。

《華嚴經》這麼記載，說「初發心時便成正覺」，初發心的心跟成佛的心，「如是二心初心難」，這兩個心我們看見的是成了佛的心，佛說：「這個容易，只要發心一定能成就」。

每個人都有六親眷屬，你周圍的人要是不信佛的，你怎麼勸，他信也不信，信了之後遇見挫折也會退心的。今天有人問我這麼一件事，有位吳姓弟子，昨天晚上八點多鐘，在八十八街出了車禍當場死亡，他皈依我還不到三個月，卻遇到車禍死亡了。他夫人的內心就有點懷疑，她感覺到自從他信了佛之後，煙也戒了，表現特別的好，爲什麼這個時候忽然之間會撞死？我們往往一遇到挫折的事情，信心就打了退堂鼓，好像沒有得到加持似的。

我說：「因爲他信佛的時間很短，種子才剛剛種下，還沒有轉動，業果已經成熟了。」大家都看到過出車禍的，錯一分鐘、晚一分鐘或者速度快一點、慢一點都可以過得去；遇到車禍的，有的不嚴重，有的很嚴重，有的從來沒出過車禍，一出車禍就死亡，這是各有因緣，不是一定的。

所以說發了心不是沒有變化的，如果你發了心，環境突然變化，家宅平安，事事如意，你的信心逐漸增長，那是你的福德，你積累的福德能夠有這種善因；有些不是這樣，剛信佛，挫折事就來了，很多的逆境全來了，什麼原因呢？我們中國有句老話叫「鬼怕惡人」，殺牛、殺羊或者殺豬的屠戶，他拿著那把屠刀，什麼也遇不見，他也不信邪，你說他那個報好像也沒有報到身上，從來也沒有找他，好像沒有因果，惡人反而得到善報。

有句話說：「放下屠刀，立地成佛」，大家感覺到放下屠刀就可以成佛了。「好！我從來沒有拿過屠刀，我當了這麼多年和尚都還沒有成佛；他一放下屠刀就成佛了，哪有這種道理？」這是說他放下屠刀從此向善，他將來一定能夠成佛。但是放下屠刀後，可不像他拿著屠刀時，鬼也不找他，他的事業也很順利，要是放下了屠刀，他的事業就不順了。以前他是惡人，人家不理他，那個業報還沒有成熟；現在是善人了，該還債了，還債的時候就不舒服了，又退回惡人去了，下地獄的都是這等人。

比如說，我們以前最初心裡頭信佛信得很懇切，到晚年不信了；不但不信了，吃了一輩子素，要死的時候吃葷、妄語、兩舌、惡口，什麼都犯了，什麼原因呢？這個因果錯綜複雜，就是他最初發心的時候就不是眞心，投機取巧。所以說在佛門投機取巧很危險，因此到了晚年涵養不夠，沒有那個德，業報就全來了。所以我們說一發心就成佛，這個發心很不容易，發心得眞發心，發什麼心呢？利益衆生。

「師子」，獅子很兇猛的，他動作很「奮迅」，「奮迅」就是奮猛的意思，爲什麼拿獸來形容佛呢？這是比喩的意思，說佛在因地當中做功德利益眾生是很猛烈的，以他的威神力壓住眾生的妄想心。我們度眾生有時會後悔的，師子奮迅則勇往直前，絕不後悔。假使我們做布施，捨心很重，施捨的人自己的生活都困難了，後悔了，說：「我該留一點，該把產業留下，不該這樣捨。」一後悔，前功盡棄；並不是過去捨的功德沒有了，是要打折扣，同時道心漸漸也退了。所以應該像獅子那樣子，一直到佛的果位，永遠勇往直前，再不後退了。

「具足」，具足什麼呢？「六度萬行」，我們把六度說成萬行，包括相當多，說布施度，布施就包括了財施、法施、無畏施。

「如來」，就是佛了，「如」者是如如不動的意思，「來」是來即不來，「來」是動，「如」是靜，動靜一如的意思。佛利益眾生，他在《金剛經》說，他沒有作意的，不像我們眾生有作意的，他是應眾生的機緣而現。就像我們這個心，你在這兒靜靜的，人家一叫你，你就動了，叫你的這個聲音與外面的環境稱為境，你的心被他一叫就動了，就隨了那個境，這就不是如來，心不能夠轉境就是眾生；心如果能轉境，外面不論是什麼境界相，你的心不動，安安靜靜。

「萬行」是因，「如來」是果，萬行是修行、做好事的時候，培育成佛的佛國，那是因。如來是證得的果，這是由於他利益眾生時候像獅子那樣的猛力，任何的挫折都不能退墮他利益眾生的心，因此他的德號叫「師子奮迅具足萬行」。

「時長者子見佛相好，千福莊嚴，因問彼佛：『作何行願，而得此相？』時師子奮迅具足萬行如來告長者子：『欲證此身，當須久遠度脫一切受苦眾生。』」

這是他最初發心的動機，他見了佛，看見佛的相好。像我們在座的諸位，過去有沒有見過佛？都見過，不曉得哪尊佛，太久了！怎麼知道呢？《金剛經》上說，你聽見《金剛經》這個名字，乃至於你能夠見到這部經，都不是一佛、二佛、三、四、五佛所種的善根，都是千百億佛所種的善根，你在很多佛的面前種過善根了，今天才能聞到《金剛經》或者聞到般若部門經典的名字。像《法華經》、《華嚴經》、《楞嚴經》等等，大乘經典的名字大家差不多都聞到了，而且每一部經的功德都是非常的殊勝。

同樣的，你聽見地藏王菩薩一個名號，這個功德都不是一生、兩生種的善根，沒有這個緣，聽不到這個名字，大家往往不注意這個殊勝因緣。現在佛經印很多，不過，地球上現在有五、六十億人，眞正能夠看到《地藏經》、看見佛經的，我看數字還是很少，連百分之一、千分之一也沒有。整個世界信佛的人有多少呢？不到五億。因此要相信這個殊勝的因。

不可說不可說的時間，在諸佛看來也就是一念之間。「時無定體」，時間沒有一定的，是依照我們心力而定的。當你看連續劇看到高興的時候，瞪著眼睛看，兩個鐘頭過去了，不會感覺疲勞，還希望它能夠演長一點！當你看一部小說看到高興的時候，兩、三個鐘頭不知不覺就過去了；反過來說，當你不高興的時候，僅僅是一刻鐘卻感覺相當長，等飛機或者接人，或在馬路邊上站著等誰出來，你來回走，很著急，「怎麼還不出來？」本來時間不長卻感覺到時間很長。

時間是依你的心而定的，當你成了道，悟得心體的時候，你就會知道，時沒有體，就隨你的心。我們中國有句老話，叫做「朝生暮死」，看水上的蜉蝣，早晨生，到了上午太陽一大就死了。天人看我們人的壽命就跟那個蜉蝣一樣的，其實一個人只要心正，只要做好事，時間長短都沒有關係。不可說不可說劫，乃至無量數劫才成佛，大家以爲很長，你到成佛的時候回頭一看，很短，好像昨天的事一樣了。

我現在回想起六十年前的事就如同眼前，年輕的小孩子盼著過年，老年人感覺到一晃就過年了，小孩子的一年可長了，他一天天盼著怎麼還不過年？我們北方要是過年，會穿新衣服，吃的也好、玩的也好，也不用上學，因此小孩想過年，老人就不是這樣子。

所以不要把時間的長短看得很畏懼，最好是沒有畏懼的心理，你修就好了，不要去計較，不在那個境界上，用心去轉變，你的心才能堅定。這句話的意思是證明了你的發心並不堅定，時間長了就畏懼了。最初我坐監獄，要判我三十年，嚇都嚇死我了！那時候沒有判期限，等到過去了，三十年，五十年也沒有關係了，人生就是這麼回事，所以什麼事情要是看破了，放開一下，什麼事都沒有了。

這是講地藏王菩薩的發心，現在是我們的發心，我們要學地藏王菩薩發心，我們也發心。發心不一定，有的是看到佛的相好，有的看見無常，就像我剛才講的那位弟子，一個鐘頭前他還好好的，汽車一撞當場就死亡了，過兩天再一燒，燒完了，就沒有了。大家要觀無常，他年紀輕，身體滿強壯的，才三十七歲。

有無常的心理，你就不要等待，聽了就去做。這部經是讓我們去修行的，每一品都有修行的方法，有很多人都念《地藏經》，但是你知道它每品的修行方法嗎？每一品都有，第一品讓你學習地藏王菩薩的發心，讓你們見到佛的相好，見到地藏王菩薩的實相，還可以看到眾生苦，看到無常，你說：「我想厭離無常，想得常。」不生你就不死了，生了必死，出生了就注定你死亡，但是怎麼死卻不一定。怕死就不要生，只要不生就沒有死了。

不過沒有辦法不生啊！你就學佛，像佛涅槃了就不生不滅了，你自然就不會死了。你觀空，一切諸法不存在，本來沒有生滅、沒有生死。

這位長者子就是地藏王菩薩，最初發菩提心的動機，因爲看見佛的相好就發心了，發心想得到。我們人人都有這個願心，看見一點好事都想得到，想得到你就努力去做，一定可以得到的。他對著佛這個相，心裡說：「爲什麼他的相是這樣？爲什麼我的相是這樣？爲什麼他的相比任何人都不同？」就起了疑心，就問他說：「佛的相是怎麼得的，要怎麼樣做才能得到？」要是指印度釋迦牟尼的報身說，佛的相是千福莊嚴，因爲他有百劫修相好，要是照盧舍那的法身說，八萬四千好，乃至於無量好。

他說：「你做了什麼事？發了什麼願？得到這樣的相？」師子奮迅具足萬行如來就告訴他：「你想證得這個身是可以的，你去度脫一切受苦的衆生，先把衆生度了，就可以增加相好。」

前面講欲界、色界、無色界，這三界的苦處太多了，比如害病的病苦，求不得，怨憎會、愛別離。從台灣來這裡的，大家都有過一段愛別離，離開媽媽、離開家跑這兒來，在這兒是異國，就算成爲這個國家的公民，還是異國。你不是生在這裡，這裡不是你的祖國。

每個人都有別離的痛苦，也有其他的苦，要把這些受苦的衆生都度了，你才能得到這個相好。

「文殊師利，時長者子因發願言：『我今盡未來際，不可計劫，爲是罪苦六道衆生，廣設方便，盡令解脫，而我自身方成佛道。』」

這是地藏王菩薩第一次發願，不過，還沒有說「地獄不空，誓不成佛」，後面還有發願，這一世是男子身。

有位居士問我：「地藏王菩薩盡變成女的，怎麼不變成男的？」我說：「地藏王菩薩最初因地的時候是做長者子的，後面才做婆羅門女光目。」

「際」是邊際的意思，「未來際」，未來際是沒有結束的，哪有邊際呢？就是他的這個願，「盡未來際」，永遠的不計時間，不管時分長短，反正盡未來際，未來還有未來，未來無邊無際，未來是不停止的。三際本來不存在的，過去沒有了，現在過去了就是未來了，我正說這句話是現在，這句話一聽，過去沒有了，哪一個是未來？我正說話的時候就是未來。

未來定不出來，三際也是不可分的，勉強的說這是現在，是今年的現在，正說話的時候就是現在，可是這現在不存在了，沒有了，哪個時候才是現在？這個界限劃不清楚，你剛說的這句話過去了，過去不可得，過去已經過去了，什麼時候是未來？我們有些問題是沒有經過思考，沒有動過腦筋，你去參，開悟了你會得到的。

「爲是罪苦六道衆生，廣設方便」，我們認爲人、天比地獄、餓鬼、畜生好得多，阿修羅是哪一道都有，人間的惡人就是阿修羅。在街上搶錢，無緣無故打死人的那個就是阿修羅，他不是人，沒有人性了。

天、人、阿修羅、地獄、餓鬼、衆生，就是在這六道之間來來回回轉，有一些人不承認六道輪迴，因爲他只知道人道，以爲人不會變畜生的，信基督教、天主教的人不信輪迴。

我有一次跟他們辯，他說：「我們不信鬼神、不信輪迴，沒有輪迴！」我說：「基督耶穌怎麼到人間來的？」他說：「他是從天上來的！」我說：

「他的弟子把他告發到監獄，他被釘到十字架上，死了上哪兒去？」他說：「上天了！」我說：「不是斷滅的？」他說：「不是斷滅的，又回天上去了。」我說：「天上到人間，人間回天上，這就是輪迴。」

像我們從中國到美國來，這也叫輪迴，輪了一道了，現在你已經到這兒來，完全變了。這兒的生活方式，一切的文化跟以前不同，在現世之中就輪迴了。你們大家的福報好，我的罪業重，我住了幾十年監獄，我也輪迴了，那就是地獄！要另外去找地獄嗎？在人間相就是佛經上所說的諸種種相，一樣的。以前很多人都是這種感想，說地獄一定是在地底下十八層，大家看一看《地藏經》，在閻浮提的西方，我們去極樂世界可能要經過地獄，因爲它在西方！不過這是意識到的，你看不到，我剛才說了，沒有這個業是見不到。

地藏王菩薩是爲了度六道眾生，但是度六道眾生沒有那麼簡便，很不好度的，這裡觀世音菩薩、地藏王菩薩都有，曉得哪一位是化身的？勸人家信佛、念經、拜懺的，說不定就是地藏王菩薩的化身。地藏王菩薩化的身比我們現在地球上的五、六十億人多得多，他度的人集合起來就那麼多人，當然不只是我們這個娑婆世界一個地方，無量的世界，在這虛空中的很多世界。

你必須有善巧方便，沒有善巧方便，你度了他，他不是那麼聽話的，此中衆生剛強難調難伏，不是很容易度的。

我們大家都有這個感覺，當你勸不信佛的六親眷屬信佛，他不信，還不如度別的衆生，度你身邊的衆生很不好度。

什麼叫「衆生」？在佛經當中說：一者是衆人共生叫衆生，大衆共生的。因爲在這個世界剛一成立的時候，就在虛空中，所以地球上什麼都有，因爲虛空什麼都有，虛空不是空的，裡頭含的成分太多了。組成虛空的時候，光音天的人下來玩，看見地上有一種地肥，他一吃這個地肥就飛不起來了，因爲是共同而生的，那是化人，沒有男女，化現生的。我們到極樂世界去，大家說念佛到那兒去，沒有父母，在蓮花裡化生。我們這個世界上現在有沒有化生人呢？有，你沒有緣不認識。

像在終南山裡頭有些老修行他見到化生人，來自別的星球，語言不通，但是他修得三昧、修得神通了，就能跟他共語，反正不是我們這個世界的語言了。就像我們這個世界的共同語言，你也沒有辦法溝通，現在到了美國，我們都是學英語，以前如果沒有學的話，語言的隔閡很大。這是一種衆生，就是共同而生的。

還有一種是衆緣假合而生的，我們現在是衆緣假合，父精、母血、地、水、火、風所組成，這些都是假的，沒有一樣是眞實的。無自性，也就是所謂壞性，凡是可壞的東西，沒自性的東西都不是眞實的，這叫做假合。我們經常講四大五蘊假合，地、水、火、風，和色、受、想、行、識五蘊，說這些法合成了才有這麼一個人，這是和合生存的。

「以是於彼佛前立斯大願，于今百千萬億那由他不可說劫，尚爲菩薩。」

這是說地藏王菩薩從他最初發心以來，雖然經過的時間很長，但是衆生界沒有盡，他一直在因位做菩薩，因爲他度衆生是盡未來際的！未來際還有未來際，未來際是盡不了。

這是釋迦牟尼佛跟文殊師利兩個人的對話。釋迦牟尼佛對文殊師利說，地藏王菩薩在師子奮迅具足萬行如來前立了這麼一個願，經過了百千萬億那由他劫的長時間。「那由他」是印度數量的一個名詞，在我們這兒說是億，這個億就像萬億那樣子，有時候也翻「不可說」，「不可說」這個數字就不能再計算了，經過這麼一個長時間，就是到釋迦牟尼佛這個時期來說地藏法門的時候，已經經過這麼長的時間了。他不僅發這一次願。

「又於過去不可思議阿僧祇劫。」

「阿僧祇」翻爲「無量數」，無量數就是計算不出來的數字，說不可思議；一個不知道數，兩個不知道數，到不可思議的無量數。

「時世有佛，號曰覺華定自在王如來，彼佛壽命四百千萬億阿僧祇劫。」

在過去不可思議的阿僧祇劫，到了覺華定自在王如來這一尊佛的時候。那尊佛的壽命就活了四百千萬億阿僧祇劫，佛的壽命這麼長，衆生也是這麼長，這距離在我們這個世界算起來就太久了！

怎麼知道佛的壽命那麼長，那個世界的衆生也那麼長呢？釋迦牟尼佛活了八十歲就入涅槃了，因爲我們的人間是百歲，距現在兩千多年了，現在的人壽命活百歲的人已經不多。但是覺華定自在王如來的壽命是四百千萬億阿僧祇劫，那個時候我們是不是也在降生？我們種的因緣也久了，也不是一天、兩天了，我們流轉得太長了。

「覺華」，「覺」是果，「華」是因。「定自在」，有因果都能夠自在，自在是因三昧而得自在的，「如來」跟前面一樣。佛的聖號要是講起來太多了，大致知道一個佛，他因什麼德號要利益衆生，視當時的情況而定的德號。這個「定」字，佛在《楞伽經》講「楞伽常在定」，是說佛在度衆生的時候，做什麼事都在定中的。

我是沒見到佛，以前我有位老師父，就是大家都知道的虛雲老和尚，他的威儀特別的好，我在鼓山四、五年沒有看見過他的眼睛，我問他說：「老和尚您常在定嗎？」他笑了說：「沒有！我哪有那種定力？」有定力的人無論做什麼事情，他心裡頭都是在定中的，就是不被境轉，這是指佛說的。我是舉這麼個例子，這是我所見到的。

有些定力好的人，你看他在這兒也應酬，也跟你談話，他又在那兒入定的。我們腦子裡頭有多少的線？我們可以拿錄音機來比，那裡頭有很多的線路，我們的腦子也是這樣，這個思想跟你說這句話，另一個思想則想著別的事情，每個人都是這樣，做著這個的時候又想別的事情。你要是能把所有的思路集中成爲一條線是很不容易，集中的時候又能放出去很多條線，這叫做出三昧而發智慧，做一切事情而不離定，能收能放，這必須是大菩薩，非得到三昧不可，沒有得到三昧是沒有這種功力。

「像法之中，有一婆羅門女，宿福深厚，眾所欽敬，行住坐臥，諸天衛護。」

佛經過四百千萬億阿僧祇劫壽命還是盡了，示現的化身完了。「像法」，就是佛涅槃之後。

「像法」是對著「正法」、「末法」說的。剛才我講的沒有正、像、末，也沒有過去、現在、未來，那是就理上說，事上還是不通的。事是事，理是理。佛滅後五百年，這個時候還算是「正法」。

「正法」跟「像法」怎麼分別呢？「正法」時期成道者多，聞了佛法就能成道；什麼叫「像法」？「正法」後的第一個千年都叫「像法」，「像法」得道的就沒有「正法」那麼多了，但是聞法、信法的還是很殊勝，還是很多。「末法」有一萬年，「末法」信的不那麼誠懇，而且信的也少了，毀滅佛法都是在「末法」的時候，「正法」時期絕對沒有。

在覺華定自在王如來像法的時候，有一個女孩子，是淨裔的女孩子。淨裔在印度是貴族種姓，四大種姓之一。「宿」就是過去，宿世種的福德很深厚，所以一切人都很尊敬她。「衆所欽敬」，欽佩她、恭敬她、尊敬她，「行住坐臥，諸天衛護」，不論她走路也好、行動也好，坐也好乃至於臥，行住坐臥的時候都有諸天來衛護她。

像我們念經，感覺到好像念得不對，有點恐懼感，或者念得有點煩熱或者發冷。或者念得很高興、很愉悅，心很舒服，這是你的周圍環境變了。像

《地藏經》講的惡鬼神也來護法，他來聽《地藏經》，雖然轉善了，可是善根不具足，他給你的感覺就不是很舒適。或者感覺心裡頭毛毛冷冷的，後面好像有什麼東西，總覺得後面站著有人。或有時感覺很愉快，那是護法的善神。如果你受了五戒，受一戒有五個護法神護著你，五戒總共有二十五位，你要是犯一條戒，就少了五個護法神。三皈依沒有破還好，還有根本的護法。「諸天衛護」就是指這個意思，當你有危險時候，諸天會護衛你。

今天有位居士跟我說，他的同事開著日本豐田小車，跟一部砂石車撞上了，一下子這部車子就把他開的小車撞飛了，到了路邊上，他下車看一看，什麼事都沒有，只有他的車門有一點問題，撞扁了一點，載砂石的車子確壞了，人也受傷住院，他卻沒有事。在當時他也沒有害怕，但是很不服氣，罵說：「今天眞倒霉！」

第二天他害怕了，班也上不成，聽到警察的偵訊筆錄把他嚇著了，警察說：「戴砂石的車是鋼鐵做的，你這部小車一定會撞碎的，是什麼原因造成那輛載砂石的車子碎了，你這部車子卻沒有呢？」因爲這位居士教這位同事念《地藏經》，他才念了七天，你說他信不信？當然信！

上面提到那位開大車的人死了，開小車的居士卻沒有事，怎麼理解呢？大家想一想，問題的答案就在這兒。你說這位居士爲什麼有感應，而他沒有感應？不能這麼理解！感應都是一樣的，各有各的因緣，各有各的業。

說到「末法」，我們現在都在末法，末法一萬年，已經過一千年了，還有九千年，都是屬於末法。解放初期，大陸上的人說佛教從此滅了，我說：「還早呢！沒有那麼容易！」後來落實政策，又都平反了，要印經比較容易了。佛法興了？也不見得，反反覆覆的！隔沒有多久又變了。就是這麼興興滅滅，滅滅興興。這裡要拖一萬年，時間還早，等到都滅完了之後，《阿彌陀經》還要延長一百年。由於諸佛菩薩的護持力，還有人能看到《彌陀經》，這不是我們隨便說說而已，具體的事實確實是這樣。

以前我從監獄出來，想找一部〈普賢行願品〉，各個寺廟都有，但是都用封條貼起來，找不到一本經可讓我念的，每間寺廟都封起來了。等到七九年之後，逐漸開放，由香港寄、台灣寄可以吧？根本收不到的，這些道友們寄的書都在海關上沒收起來。因此我們知道法滅，一個政治命令，可以讓你都見不到了。沒有也很容易，但是有了也很容易，好像一變化就有了，怎麼有的？怎麼沒有的？這裡頭有因果，我還沒有神通，有神通就會知道。

因此我們能有這樣殊勝的因緣見到佛經，很不容易了。我現在念的佛經一直是偷出來的那兩本，在哪裡偷的？監守自盜。我以前有位道友，他說：「這部經不能借，借了犯法的！」我說：「我都住了幾十年監，你就大點膽子拿出一本，你不會住那麼長的，要是住監我替你去。」就是這樣拿出來的。拿出來後我就找人油印，散出去了。有人說：「你不怕再坐牢？」我說：「我早準備死了，根本就沒有想活著！」大家在有佛經的時候沒有感覺到困難，到了沒有佛經的時候，你想找一本經難極了，等到法滅的時候，你想看，困難極了，沒有了！

所以「像法」、「末法」跟「正法」當中的區別相當大。我們現在是末法，你碰到幾個證道果的？碰到幾個很了不得的僧人？你沒有那個福報了，原因就在此。我在廈門的時候，學生要求我們再請幾位好法師，我說：「你看我們中國哪個地方還有，說出來我就去請！」他說：「爲什麼沒有了？」我說：「你沒有那個福報了，你有那個福報、有那個因緣，文殊菩薩還在你面前現身，你沒有那個福報有什麼辦法呢？你的福報跟我的福報差不多，你也就聽聽我這種沒有神通也沒有道德的法師給你講，你要找再好的法師，還得修行三大劫，你遇到我算不容易了！」他說：「怎麼不容易？」我說：「我在監獄住了三十多年出來，還能夠到佛學院來講，已經很不容易了！這就是大家的感應。」

我們不要往高處想，要看看自己的份量，做事不要做過分的事，我們只有這麼大的福報，也只能配聽這個瘸腳的法師講一講，所以到了末法的時候不能夠依法行持。將來大家學完《地藏經》，我們依法行持，哪怕七天都好，光說不做，得不到什麼好處，一天二十四小時，就是在那兒名、利、貪、瞋、癡、慢、疑，絞腦汁做事情，但是在佛法上，你用了幾分鐘眞正修行？撥了多長的時間？

你要求感應，稍微一不如意，「我不信這個了，這個不靈！」你不信跟我有什麼關係？你信是你的福報，我只會感覺到我沒有能力勸你，覺得自己道德不夠。我只能懺悔，也不能要你非信不可，因爲我的德行不夠，若我的德行夠了，能夠折服你、攝受你，讓你相信。

佛、菩薩天天在你跟前，佛、菩薩也很著急，你就是看不見、聽不著，有什麼辦法呢？因爲我們沒有證果，所以得不到加持力，這要怨自己！如果你相信我說的話，把世緣放下，修行一個七，七天不行，再來一個七，我的命不要了，不想活了來修行，三個七過了一定得到效果，不要太長，念阿彌陀佛七天就行了，念地藏王菩薩還有地藏王菩薩加持的特殊方便。

所以佛法是叫我們做的，它只是個方法。「法」就是方法，知道方法了，你不去做怨誰呢？我肯定我們這裡沒有完全吃素的弟子還不少，連這點口福都捨不得，你還想要佛菩薩加持你？

我希望大家念一念《地藏經》或者是念一念地藏王菩薩，你也要利益衆生啊！要我們捨很多錢？我們都是打工吃飯的，錢很少，沒有那個力量。況且你往哪兒捨去？念一念地藏王菩薩以法布施加持，轉這個業。這個世界上的人五、六十多億，有五億人口來一起修行，我們就能把末法變成正法。法也沒有正法，也沒有什麼末法、像法，而是我們人心壞了！如果有道，法就變正法，沒有道，正法也變成末法了。

因此我們諸位道友共同來給這個世界消災，念一念《地藏經》。我們說的很多，做的很少，乃至於說的很多，一點都沒有做，怎麼會有效果呢？不會有的！現在很多的災難，投人壽保險也好、汽車保險也好，不過是賠點錢，人都沒有了，錢有什麼用？

我感覺到佛教導我們的是眞正的保險，你要是做了，眞正保險，絕不是欺騙。我們每一個人都有很多的苦難，因爲不自在、不自由就是苦難。你何妨下一點功夫試一下子，試一試是不是靈？如果不靈的話，我們一個禮拜花兩個鐘頭聽經也可惜了！看電視還高高興興的，不比這個好？坐這兒聽我這麼樣說有什麼用處呢？你眞正做了才知道它的用處。

比如說你有病，把藥拿回來卻不吃，病怎麼會好？這個就是藥，就是告訴我們的方法，貪怎麼對治？瞋怎麼對治？癡怎麼對治？如果沒有這種智慧，就想方法怎麼樣增長智慧，但是要誠懇。有的居士問我：「我喝了不少地藏水，智慧還是沒有增加！」我說：「還有幾件事你有沒有做到？」他問：「哪些事？」我說：「你不許吃葷，三七日不吃葷。」他說：「不吃葷還行嗎？」我說：「沒有辦法不吃葷，不要增加智慧，就吃肉去吧！還有，你別打妄語、別說瞎話，三七日別說瞎話。」很多事你做不到就要求菩薩靈，靈不了的！你要是按照經上所說的去做，絕對靈。

不靈還要信嗎？這幾千年當中，別人得過靈驗的特多，爲什麼到我們這兒就不靈了？因爲我們沒有照樣去做。你如果斷絕一切緣，靜下心來，平靜的做一下子，做七天就行，你的思想、意識跟你的睡夢、行住坐臥全變了，只可惜一天二十四小時都不容易做到。

大家學佛法，不是標榜說我是信佛的人，我也在聽經、念佛，頂著這麼一個善人的名義，沒有什麼意思。我們佛教徒應該做點實在的事情，要對得起自己，對得起諸佛菩薩，否則種的善根還要經過很多的苦難，才能夠離苦得樂，苦是不容易離的，等苦來了，你後悔就晚了。

我是經常準備要死的人，不過還沒有死，也不知道什麼時候死，但是死必須準備點資本，準備死不是燒幾個紙錢到陰間。陰間是不用紙錢的，沒有這回事！要是提到功德，雖然說沒有大神通，該知道自己的死亡吧！現在眼睛越來越花，耳朵越來越聽不見，牙齒咬不動的東西越來越多，還有這個痛那個痛，不是告訴你要死了嗎？你怎麼還不注意？你的眼睛晃晃搖搖的，一跟人談起閒話來，一高興把什麼都忘了，等到五欲境現前的時候，一點辦法都沒有！你有什麼把握呢？

我勸我們道友們今後在行的方面要注意一點，「哎喲！太困難了，我做不到。」你一天利用一個小時，辦不到，半個小時，辦不到，早晨起來對著西方念十稱佛號該辦得到吧！花不到幾分鐘，你再想一想，想想極樂世界，這樣子都引導你往善路走，能夠生到極樂世界了；如果這一點都不做，佛菩薩要加持你，他也無能爲力。

如果災難過去了，或者加持我能夠發財，就到這間廟來修廟，或者給菩薩換一個金，換一個袍，或者供一個幢，供個幡、供香、供花，那要看你當初是發什麼願，等以後好了，當然到廟裡去，這是一種還願。他發這個願，要把一切受苦的衆生都度盡了，這個願就不容易還，所以他是以無量生來還的，還到他度的人全成大菩薩了，也成了佛了。地藏菩薩自己示現比丘相，而且說地獄還有沒空，這是就「有」說的，他的願沒有滿，願沒有滿他不成佛。

實際上他的願早滿了，爲什麼呢？說地獄未空，那是我們的看法。在《占察善惡業報經》上講「一實境界，二種觀行」，「一實境界」，曉得我跟一切衆生性體平等的，自性是空的，沒有天堂，也沒有地獄，也沒有十法界，因此沒有衆生可度，這是從菩薩觀點說的。但是從衆生觀點說呢？不行！苦眞是苦，我們就空不了，儘管身體沒有了，壽命盡了，但在意識當中、八識田中，又轉去了，沒有空，也沒有達到這種境界，這是隨業而轉。

地藏王菩薩現的千百億化身，化現的就不實。我們一切衆生何嘗不是自性化現的呢？也是這麼自性化現，但是我們把它執著起來了，就空不了。空不了就要受苦，一執著就苦，不執著不苦。我們每天要經過很多的事情，有心煩的時候，也有不如意的時候，如果放不下就苦了。要放下，曉得人生一切諸法都如是，如夢如幻，不要過分的當眞，如果心裡想開了，就不苦了。

某位女居士的伴侶死了，一天到晚地哭，他死了還是死了，妳能把他抓回來嗎？不可能！如果妳放下了，他走他的，妳做妳的，從妳的觀點說，現在不苦惱了，曉得這是因緣假合的。我們在座的任何人都得走，不是這樣嗎？我們就是像住旅店一樣的，到時候辦完事了你還不走嗎？這段因緣了了，你也得走。看別人走了，我們也跟著悲哀，人家哭得很厲害，我們也跟著傷心，有的人心軟，也照樣跟人家掉眼淚，那是他不認識這一切法都是假的。我們自己也如是，別人也如是，看開一點就自在了，自在就解脫，解脫就不苦惱了。

所以觀世音菩薩大慈大悲的救衆生，觀世音不苦惱啊？地藏王菩薩在地獄救衆生，地藏王菩薩不苦惱啊？要是像我們這種境界，那苦死了！爲什麼他現在不苦惱了？不苦惱是現在，是他已成了大菩薩。過去的時候他照樣苦惱，我們是講他過去的故事，大家就以輕鬆的心情來聽故事。

在覺華定自在王如來入滅了之後，在像法之中有婆羅門女這麼一個童女，她過去做的功德不少。「宿」就是宿世，不是現在了。由於這位婆羅門女過去世盡做好事，做了很多的功德，因此她這次轉世做了婆羅門女，大家對她很恭敬，很欽佩她，因爲她有道德。有福德的人，誰見到都歡喜，就像我們見到佛像都很歡喜，爲什麼呢？福德大，他過去有福有慧；如果沒有福的人，別人見了就討厭，但是這種人也有因緣，也會有不討厭的，那是跟他同等沒有福的人。

因爲她受人家恭敬，過去宿世一定有種善根。說這個是讓我們學習，我們懂得這種道理了，我們也要學習，走到哪裡都有人幫忙，幫你的那些人也是護持你的法！我們念經的時候，有些人感覺到奇異的現象，你不要執著，如果一執著，它可能變成干擾你的現象。例如你念經，念得看見光，或者看見像，或者身上發熱，或者身上發冷，不管它，照樣念你的經，那個境界就沒有了。

如果因爲出現這種境界，你把經本一合不念了，下回再也拿不起來。這種境界這樣一現，你便念不成了，這就阻礙你的修行，成爲逆境。如果你不執著，更增加你的信心，就知道你逐漸的銷業了。業不是一次就銷盡的，因爲業太多了，我們一定要懂得這種道理。

這位婆羅門女在覺華定自在王如來的像法當中，由於她過去的善根，「行住坐臥，諸天衛護」，不論她走路也好，在家裡住著也好，反正在四威儀當中，都得到天人的護衛；到哪兒去，護法的天神就跟著她，但是她自己不見得知道。我們每個人信了佛之後，念經也好、拜懺也好，每天都要做些佛事，受了三皈依，就有些護法神跟著你，很多的事情可以遇難成祥，減少很多災難的事情；但是你要行，不行的話，漸漸會消失的。

「其母信邪，常輕三寶。是時聖女，廣設方便，勸誘其母，令生正見，而此女母，未全生信。不久命終，魂神墮在無間地獄。時婆羅門女，知母在世，不信因果。計當隨業，必生惡趣。遂賣家宅，廣求香華，及諸供具，於先佛塔寺，大興供養。」

但是這婆羅門女的媽媽輕慢三寶，不信佛、法、僧，而婆羅門女她是深心信佛的。最初勸她媽媽，她媽媽還是不信，她想種種的方法，用比喻或者用例子、用感應，講因果勸她媽媽產生正知正見。她媽媽似信不信的，懷疑心沒有消失；當她正信還沒有生起，對於佛、法、僧三寶還沒有信仰，「未全生信」時，壽命盡就死了。因爲她邪知邪見，謗毀三寶，所以魂神就墮在無間地獄。

這位婆羅門女知道她媽媽在世的時候不信因果，像我們吃肉的時候，「豬、羊這一道菜該吃的！」還有種想法：「這不是我殺的，人家殺了嘛！有賣的我才買。」反正種種理由就是我不負責任，換句話說，我是該吃的，這是講不信因果的情況。

因爲婆羅門女的媽媽不信因果，她的女兒知道她媽媽不信因果，不但造罪，而且還是邪知邪見，凡是破了見的，一定下無間地獄。凡是謗毀三寶的，一定要下無間地獄。無間地獄就是受苦不間斷，生命不間斷。

婆羅門女知道她的媽媽一定會墮惡道；「必生惡趣」，「惡趣」就三惡道，地獄、惡鬼、畜生，因爲你生前所作的行爲，到死後自然趨向什麼果報，這個「趣」是趨向的意思。我們三寶弟子一天念佛、拜懺，乃至稱地藏王菩薩名號的因緣，不會墮三惡道。

但是很多人並不知道如何稱一聲地藏王菩薩，知道的人畢竟是少數；就算知道了，是不是肯專心一意的修行稱聖號呢？不見得！如果你眞正的專心稱聖號，很多的事情會起變化，你自己會感覺到順當或不順當，平常天天念，今天散漫了，今天就會出點事，個人都會知道個人的事。

婆羅門女知道她母親在生的時候不信因果報應，不信三寶，於是在她母親死後，就大量的作佛事，傾其家中所有。「遂賣家宅，廣求香華，及諸供具」。「香華」是一種，供養佛的東西，或者幢幡、寶蓋。「於先佛塔寺」，「先佛塔寺」就是供過去佛的廟宇，「塔」也是廟的一種。「大興供養」，不是供養一點點，而是供養得很多。前面說了是覺華定自在王如來的像法當中，「先佛」當然是指覺華定自在王如來，她到寺廟裡頭去，看見覺華定自在王如來的形像；覺華定自在王如來已經人滅多年了，他的形像還在寺廟裡頭。

就像我們見到地藏王菩薩，地藏王菩薩沒有到印度現這麼個像，這是在天宮，在忉利天。但是地藏王菩薩到人間現什麼相？隨衆生，應以何身得度者，他就現什麼像。爲什麼我們稱新羅太子爲地藏王菩薩呢？因爲他的法號，他出了家的名字叫地藏，他在九華山裡顯神通、立道場，他並沒有顯示說他是地藏王菩薩化身，大家根據他的聖蹟，認爲他是地藏王菩薩化身。

至於在北京拈花寺，明朝的遍融老和尚，大家怎麼意識到他是地藏王菩薩呢？因爲他死後現的是地藏王菩薩像。他養過一頭牛，那頭牛天天托著缽到村落去給他乞食，乞了食，這個老和尚就吃那個缽上的食，不吃寺廟的飲食。有一天這頭牛乞食去了，到一個橋上，人家跟牠說：「老和尚已經圓寂了，你還來乞食？」那頭牛哞的叫喚一聲，站著也圓寂了。因此大家認爲是地藏王菩薩的神通感應，稱他爲地藏菩薩。地藏王菩薩現的身特別多，也現殘廢的，也現種種的像。

「見覺華定自在王如來，其形像在一寺中，塑畫威容，端嚴畢備。時婆羅門女，瞻禮尊容，倍生敬仰。私自念言：『佛名大覺，具一切智。若在世時，我母死後，儻來問佛，必知處所。』」

覺華定自在王如來涅槃了之後塑的形像在一間寺廟當中，「塑畫威容，端嚴畢備」，簡單的說就是塑得很尊嚴。婆羅門女爲了給她母親求福，上寺廟裡去，包括打齋供衆，獻種種供養，見到佛像禮拜，求佛加持她。「時婆羅門女，瞻禮尊容，倍生敬仰」，「倍」者加倍的意思，不像一般人看了心裡也恭敬，但是誠懇不夠，她是很誠懇的。她自己心裡就這樣想：「佛是大覺」，「大覺」，不是一般的明白，是眞正的明白，「大」就是稱體而明白的，見了性體，究竟證得了。

我們看到菩薩、二乘聲聞，他們也是覺悟了，但是那種覺悟不能稱大覺，只有佛能稱大覺，因爲自覺覺他；覺行圓滿，自己成佛了，度了一切衆生，跟他有緣的都度了，就是覺他；因爲功行圓滿，所以成爲大覺，具足了一切智慧。

故事的當中說，因爲她媽媽不信因果，一定墮三塗，因此她媽媽死後，婆羅門女就把所有的財產，連家宅都賣了，當然連不動產都動了，浮財她早就拿出來供養了，這算是竭盡施的。到寺裡供完了，她內心就想了，這是一種回憶、禱告，也可以說發願的意思，她說：「假使佛在世，我媽媽死了，我問佛，佛就會告訴我，說我媽媽生到哪一道去了？」因此她非常沈痛的禱告求佛。

「時，婆羅門女，垂泣良久，瞻戀如來。忽聞空中聲曰：『泣者聖女，勿至悲哀，我今示汝母之去處。』婆羅門女合掌向空，而白空曰：『是何神德，寬我憂慮。我自失母已來，晝夜憶戀，無處可問，知母生界。』時，空中有聲，再報女曰：『我是汝所瞻禮者過去覺華定自在王如來，見汝憶母倍於常情眾生之分，故來告示。』」

在婆羅門女的禱告當中，「垂泣良久」，也就是她在禮拜的時候非常的悲哀，「垂泣」就是哭，有聲的、大聲的叫哭，「泣」是無聲的傷心！在這個時候她聽到空中發了聲：「泣者聖女」，佛稱讚這位婆羅門女，讚揚她為

「聖女」，不是一般的女人，不是一般的發心了，「勿至悲哀」，妳不要悲傷，「我今示汝母之去處」，我會告訴妳，妳母親到什麼地方去了。「婆羅門女合掌向空」，聽佛跟她說話，她就恭敬地向空中說：「是何神德，寬我憂慮？」

這個時候，她聽到空中的聲音並不曉得是覺華定自在王如來對她說話，所以她請問一下：「是什麼神啊？來安慰我使我不憂慮，自我失掉母親之後，晝夜的憶戀」，「憶」是回憶，「戀」，不捨。「無處可問」，我不知道往什麼地方去找，也不曉得問什麼人？也不知道我母親生到什麼地方去？「時空中有聲，再報女曰」，覺華定自在王如來就告訴她說：「我是汝所瞻禮者，過去覺華定自在王如來」。佛又現身了，爲什麼現身告訴妳呢？因爲看到妳思憶妳的母親跟一般衆生不同，「倍於常情」，不是一般人的悲哀，所以來告訴妳。

因爲一般衆生的悲哀，悲哀以後就過去了，或者悲哀在心裡頭憶念不誠懇，儒家有句話說：「精誠所至，金石爲開」。過去道家求法獲得感應的事情很多，但我們出家學道的人至誠的求，晝夜憶念，都有一定的殊勝境界，但是求多了、見慣了，就不起執著，因爲你有多大的功力就能得多大的應，你是感，佛菩薩是應。以我們世間的話來說，你出了多大的力量，會得到多大的報酬。所以我來告訴妳，就是這樣原因。

從這一段話就聯想到我們在求佛菩薩加持或者求消災免難的時候，我們做得不夠，地藏王菩薩在因地做婆羅門女的時候，他做的就夠了，還不只這一世，生生世世都得這樣子，相續不斷。我們前面講做長者子，這中間又隔了很多劫，他又做了婆羅門女，這是多生累劫的，不是一生一世的事情。我們在座每個人今生到了別的國家，還能在這個地方來學佛學，遇見佛法，共同的學習；我們的善根是不可忽視的，大家一定要培養這個善根，別讓它喪失了，這是很不容易的，轉一個面孔又不曉得要多少劫了。

「婆羅門女聞此聲已，舉身自撲，肢節皆損，左右扶侍，良久方蘇，而白空曰：『願佛慈愍，速說我母生界，我今身心將死不久！』」

這是婆羅門女的表現，前面講她的憶念，憶念到什麼程度呢？從她現在的行爲表現，她的憶念比一般人深得多，聽見佛跟她說了，她是不顧惜自己的身體，她的心到了她所憶念的東西，跟她的性命相關。所以這個時候，她因爲憶念母親而忘了自己的身心了。經佛這麼一說，她就舉身自撲，感謝佛的恩，「肢節」，四肢或者頭部，碰到頭破血流，磕到地上，這都是肢節損害的表現。

照顧她的人把她扶持起來，她這個時候是昏迷狀態，「良久方蘇」，隔了很長的時間才蘇緩過來。又對著空中說：「願佛大慈大悲的憐愍我，說出我的母親到什麼地方去了？」「界」就是處所。「我也是不久將死的人了！」這是地藏王菩薩在因地時候的一段故事。她的母親死後，回憶母親，就到廟裡拜佛去求，她求到什麼程度呢？求到不要她自己的生命，所以感應到佛現身了。

「時覺華定自在王如來告聖女曰：『汝供養畢，但早返舍，端坐思惟吾之名號，即當知母所生去處。』」

覺華定自在王如來就告訴她說：「汝供養畢」，佛事做完了，「但早返舍」，早日返回妳的住處，「端坐思惟吾之名號」，就是思名，妳回去坐著就念我的名號，「即當知母所生去處」，就知道妳媽媽生到什麼地方了。這裡有個問題，什麼問題呢？佛為什麼不直接跟她說，還要讓她回去念名號，你本身就是了，還要念你的名號做什麼呢？

有人提出問題問：婆羅門女說她「身心將死不久」，為什麼要加這一句？我的答覆是，她知道她自己的精力，到了這個時候她活不長了，感覺到心不在焉了，不在她身體上了，如果這樣子憶念她的母親，不吃不喝，什麼都不幹了；或者覺也睡不著，一心想她母親，這樣她自己會想死的，想到一定程度她會知道。這個時候經上沒有說她就要死了，「我今身心將死不久」是她自己覺得。

這個問題是覺華定自在王如來要告訴她就告訴她，不告訴她就不告訴她，還讓她回家去，還讓她念他的名號，要念他的名號才知道去處，佛當時為什麼不跟她說？這裡有一個很深的道理。釋迦牟尼佛要你念阿彌陀佛的時候，你見著阿彌陀佛了，也要念阿彌陀佛，想一想是什麼道理？我提出這個問題是讓大家在理上思惟，不要在事相上想。爲什麼佛現了身還讓她念他的名號？好像他的名號比佛更眞似的，名是假的，見了眞身佛還要告訴她：「回去念我的名號！」這就是我們持名念佛的關鍵，你能不能往生自己會知道的。就像剛才這位居士問我的問題，她怎麼知道自己身心將死不久？因爲她憶念母親憶念切了，可以用她的生命代替母親受苦，就是這個涵義。

「時，婆羅門女尋禮佛已，即歸其舍；以憶母故，端坐念覺華定自在王如來。經一日一夜，忽見自身到一海邊，其水涌沸，多諸惡獸，盡復鐵身，飛走海上，東西馳逐；見諸男子、女人百千萬數出沒海中，被諸惡獸爭取食噉；又見夜叉其形各異，或多手、多眼、多足、多頭，口牙外出，利刃如劍，驅諸罪人使近惡獸，復自搏攫頭足相就，其形萬類不敢久視。時，婆羅門女以念佛力故，自然無懼。」

這個婆羅門女就遵照佛的教導，禮完佛之後，「即歸其舍，以憶母故，端坐念覺華定自在王如來」，因爲她想她媽媽，她還是有目的的，要是不想媽媽，她就不求了。因爲想她媽媽的緣故，就端坐念覺華定自在王如來的聖號。念了二十四小時，「經一日一夜」，這就是下死功夫，「忽見自身」，就看見自己的身體，就是心看見身，她自己感覺到她自己的身體到了一個海邊，這個海邊的海水跟我們平常到海邊觀風景的海水不一樣，那裡的水都開了，「其水涌沸」，熱度很高，跟我們燒的開水一樣。

在水上還有很多的惡獸，「盡復鐵身」，這些獸不是獅子、虎、狼的肉身，都是鐵身。在海上飛走，「東西馳逐」，東邊跑到西邊，西邊跑到東邊，幹什麼呢？吃人，這就叫地獄，雖然沒有說出地獄名字，但是到這個地方就是地獄。「見諸男子女人百千萬數」，這些猛獸在海上東邊跑到西邊，西邊跑到東邊幹什麼呢？因爲上面有男子女人百千萬數，出沒海中，在海中一下子沒下，一下子升起，這些惡獸就爭搶著吃這些人。

「又見夜叉，其形各異」，夜叉就是餓鬼，種種形狀，有的手很多，有的眼睛很多，有的頭很多、腳很多，有的腦殼很多。「口牙外出」，牙齒都長到外面，牙齒快的就像寶劍似的，「利刃如劍」。「驅諸罪人，使近惡獸」，這些夜叉專門攆這些人，讓他們靠近惡獸，雖然惡獸在海上追，這些人是逃避了，但是夜叉就圍著不讓他們往別處跑，「復自搏攫」，他自己也抓著吃了。

「頭足相就，其形萬類，不敢久視」，一般人看到這種情況就會怕到不敢長久看，婆羅門女不怕，因爲她在念覺華定自在王如來，所以並不恐懼。

「有一鬼王，名曰無毒，稽首來迎，白聖女曰：『善哉，菩薩！何緣來此？』時，婆羅門女問鬼王曰：『此是何處？』無毒答曰：『此是大鐵圍山，西面第一重海。』聖女問曰：『我聞鐵圍之內，地獄在中，是事實不？』無毒答曰：『實有地獄！』聖女問曰：『我今云何得到獄所？』無毒答曰：『若非威神，即須業力，非此二事，終不能到。』」

這個時候有一位鬼王就過來了，可能是主持這個地方的負責人，也就是負責的鬼。「名曰無毒」，這個地方指的「毒」，要是形容法的話，貪瞋癡叫三毒，大概所有到這個地方來的衆生都是三毒嚴重的，這個鬼王叫「無毒」。他已經超出了，沒有貪瞋癡，乃至於斷了煩惱。他就很恭恭敬敬的對婆羅門女行禮，來迎接她，也稱她爲聖女，「白聖女曰：『善哉菩薩，何緣來此？』」

這個鬼王稱婆羅門女是菩薩，爲什麼稱她爲菩薩呢？能夠到這個海邊來的，有兩種力量能來：一種是業力，業力就糟糕了，那就變成被惡獸吃的衆生；二種是神通力。這婆羅門女當然不是因業力而來的，神通力呢？因爲她念覺華定自在王如來聖號，以佛的神通力，所以能到這兒來。無毒鬼王稱她爲聖女，是因爲能到這兒來不是一般的人，一定是菩薩，所以稱她爲菩薩。

「時婆羅門女問鬼王曰」，婆羅門女就問這位無毒鬼王說：「這是什麼地點？我到了什麼地方？」「無毒答曰：『此是大鐵圍山西面第一重海』」，這個地方就是到達地獄了，第一重海，裡頭還有海，多少重呢？有八重海，到了第八重了才是鹹水海。經上說，這海一共寬八萬四千由旬，一由旬四十華里，在鹹水海建立的，才是我們過去所說的四大部洲，鹹水海的中間有座大山，這座大山叫迦羅，是純鐵的，也叫鐵圍山。

婆羅門女就問無毒鬼王說：「我聞鐵圍之內，地獄在中，是事實否？」她問話的意思，就是不肯定！我只是聽說鐵圍山裡頭有地獄，是不是事實呢？「無毒答曰：『實有地獄。』」不錯！實在是有地獄。「聖女問曰：『我今云何得到獄所？』」我怎麼來到這兒？「無毒答曰：『若非威神，即須業力，非此二事，終不能到。』」一個是妳有業力，一個是妳有神通力。

婆羅門女的神通就是覺華定自在王如來的神通，讓她念聖號而到的。就像我們念阿彌陀佛聖號能到極樂世界一樣，要是不念阿彌陀佛聖號，十萬億佛土你到得了嗎？一個佛土也到不了！連四天王天、忉利天都去不了，能到十萬億佛土的極樂世界去嗎？是阿彌陀佛聖號把你送去的。

婆羅門女能夠到鐵圍山來，是覺華定自在王如來讓她念聖號而來的，所以，爲什麼要念覺華定自在王如來聖號呢？因爲要能看見她母親的緣故，不念是看不到的。我們假使不念阿彌陀佛到不了極樂世界，必須念阿彌陀佛才能到極樂世界，那個時候也是兩種：一個是佛的威神力，一個是你自己的業力，那個業不是這個業，那是你做的極樂世界的淨業。業有善、有惡，那個是善業，這個是惡業。她的媽媽到這兒來是因惡業來的，她也到這兒來了，她到這兒來找她媽媽是因覺華定自在王如來威神的力量。

就像我們人間一樣的，現在文殊菩薩、普賢菩薩、地藏菩薩、觀世音菩薩都在我們的地球上，四大名山都有；乃至於我們這兒也有，有緣的話你就會見到。你的業力跟他的業力結合了，你就看得到；你的業力跟他的業力不結合就看不到。也許在夢中，或者你也像婆羅門女這樣求，他會給你示夢。《地藏經》說的很清楚，你念得懇切他就示現，你能夠見到，但是不是究竟見到，如果究竟見到是證得了，永遠不離了。如果相應了，見了以後如果功夫又沒有了，那時又見不到了。

所以用功夫要像什麼似的呢？人家形容說像雞孵蛋，如果牠孵蛋，溫度到了一定程度，達到目的了，那隻小雞就孵得出來。如果今天孵一下子，明天又跑了，所謂雞抱不成就雞跳窩，這顆雞蛋是孵不出小雞的。我們念佛修行也如是，今天不曉得什麼大心發起來，拼命的用功，明天發生一點兒挫折，

「哎喲！不信了，令我瞎費一些事。」完了！又不靈了，這樣絕對得不到。說地藏王菩薩的因地，我們也得這樣做才行，不這樣做，希望會落空的。

「聖女又問：『此水何緣，而乃涌沸，多諸罪人，及以惡獸？』無毒答曰：『此是閻浮提造惡眾生，新死之者，經四十九日後，無人繼嗣爲作功德，救拔苦難，生時又無善因，當據本業所感地獄，自然先渡此海，海東十萬由旬又有一海，其苦倍此，彼海之東又有一海，其苦復倍；三業惡因之所招感，共號業海，其處是也。』聖女又問鬼王無毒曰：『地獄何在？』無毒答曰：『三海之內是大地獄，其數百千，各各差別，所謂大者，具有十八，次有五百，苦毒無量，次有千百，亦無量苦。』」

這個地方有很怪異的相，水怎麼會是開的，爲什麼會這樣子呢？哪來這麼多罪人？（她知道在這裡都是受罪的，這個「罪人」是指受罪的意思。）惡獸又是怎麼形成的呢？爲什麼長著鐵身子？「無毒答曰：『此是閻浮提造惡眾生，新死之者，經四十九日後，無人繼嗣爲作功德』。」沒人繼承他，來給他作功德、作好事，也沒有來救拔他的苦難。

他在生的時候沒有做好事，沒有善因，沒有善因不會得到善果，就感這些惡果，那麼他做了什麼業、造了什麼罪？「當據本業所感地獄，自然先度此海」，這裡還是初步的，裡頭還多得很，地獄的名字也多得很。讓她看到這裡是因為她媽媽就在這兒，並沒有到本業所感的地獄去，因為她給她媽媽做功德，四十九日後，她媽媽就離開了。

「海東十萬由旬又有一海，其苦倍此」，妳看見這個苦不算，這個海的東邊十萬由旬又有一海，那裡的苦比這裡還加一倍，這個海之東，又有一海，那個苦比這個苦復倍。「三業惡因之所招感，共號業海」，那個地方的海叫業海，什麼業？惡業的。這三海都是身口意三業招感來的，叫業海。

「聖女又問鬼王無毒曰」，我問你地獄，你卻跟我說海，無毒說：「我答覆妳，三海之內就是地獄，為什麼說海，海就是地獄，這個地獄多得很，其數百千各各差別，所謂大者，具有十八」，就是我們經常說的十八層地獄，不是層次，不是一層一層的，說下十八層地獄，好像過了一層又一層，據《地藏經》說，並不是這樣子，而是有這麼十八個地獄。這十八層是最重的，十惡不赦的那種。「次有五百」，比十八層地獄的苦要好一點，但也是「苦毒無量」，「次有千百」，就多了，「亦無量苦」，說不清楚。

我在監獄裡頭想過，監獄裡有很多的層次，重刑犯、輕刑犯，還有管教犯，各種犯人住的牢房、監房看管都不一樣，我就想到這裡有點像《地藏經》所說的地獄，各個不同。輕犯，他的牢房門就是開著的，可以在院子裡跑，活動活動，又可以去勞動；嚴重的就不行了，有警察押著他們，有時候十個人，有時三個人押在一起，看著他們，不許互相說話。像我們這種嚴重的，一人一間房間，沒有說話的機會，外面有警察來回看著，門口有這麼一個大的窗戶，不是銅牆鐵壁，而是石頭的，反正砌得很堅固，只有這麼大一個門，這個門是幹什麼的？遞飯的、送水的，一天一次。

我就聯想到這比地獄還好，但是從人間類比到那個形式上也就是這樣子，差不多。大地獄、小地獄、重地獄，我想就是這樣子，無非是受的苦多一點。但是那都是化身，苦過去又化了，一日之間萬死萬生，讓你受苦。我們可能前生前世都度過，不過現在不記得了，因爲不曉得哪一生哪一世，我們信了佛之後好一點。爲什麼呢？從我們的智力、信佛的程度、對於慈悲心的生起、覺悟心的成長、分辨事理的智慧就知道不是從地獄出來的，在三惡道出來的不是這個相。

「聖女又問大鬼王曰：『我母死來未久，不知魂神當至何趣？』」

她之所以求覺華定自在王如來，就是找她母親，「我母親死了不久，可能是才來，她的魂神到了什麼地方去了呢？」

「鬼王問聖女曰：『菩薩之母，在生習何行業？』聖女答曰：『我母邪見，譏毀三寶，設或暫信，旋又不敬，死雖日淺，未知生處。』無毒問曰：『菩薩之母，姓氏何等？』聖女答曰：『我父、我母俱婆羅門種，父號尸羅善現，母號悅帝利。』」

她是做什麼的？「聖女答曰：『我母邪見。』」沒有正知正見，「譏毀三寶」，謗三寶，謗佛、謗法、謗僧，「毀」就是毀辱的意思，不是毀滅的意思，因爲她還沒有那麼大的能力來滅三寶，「譏」就是毀謗信佛的人，說人家迷信都要遭受這個報的；看人家吃素，說俏皮話譏諷人家；看人家信佛說人家迷信，這就是譏毀三寶。

所謂她的行業，就是她做什麼業？平常愛做什麼？她說邪見，因爲邪見的內容就是譏毀三寶，有時候她也信一些，但是未全生信，前面說她勸她母親、度她母親，用種種方便，但是她母親未全生信。所以她「設或暫信，旋又不敬」，一會兒信，一會兒又不信，反反覆覆。我們有很多信佛的道友，你勸他信了，他又反覆。

有時候信，有時候不信。「死雖日淺」，她死的日子不久，時間不多就是「淺」，所以「未知生處」，做這個業，肯定墮在地獄。地點是肯定的，因爲有業。「無毒問曰：『菩薩之母，姓氏何等？』聖女答曰：『我父、我母俱婆羅門種，父號尸羅善現，母號悅帝利。』」

「尸羅」是戒，我們受戒就叫尸羅，「尸羅善現」是清涼的意思，另外的意義就是戒，「善現」就是我們中國話了，戒現清淨叫「善現」，「尸羅」是印度話。「悅帝利」也是印度的名詞，是善根成長的意思，名字很好，但是善根不成長。

「無毒合掌啓菩薩曰：『願聖者卻返本處，無至憂憶悲戀。悅帝利罪女生天以來經今三日，云承孝順之子，爲母設供修福，布施覺華定自在王如來塔寺，非唯菩薩之母，得脫地獄，應是無間罪人，此日悉得受樂，俱同生訖。』」

鬼王一聽到她父母的名字之後，「合掌啓菩薩曰」，無毒向她合掌恭敬，「願聖者卻返本處」，妳打哪兒來的，還是回到什麼地方去，妳也不要憂愁，也不要悲忿、懸戀了。「悅帝利罪女，生天以來，經今三日」，生天已經三天了，怎麼樣生天的呢？「云承孝順之子，爲母設供修福，布施覺華定自在王如來塔寺」，她有孝順的女兒給她設了供、修了福，在覺華定自在王如來塔寺做了供養，那天「非唯菩薩之母，得脫地獄」，同地獄的無間罪人，「此日悉得受樂，俱同生訖」。

《地藏經》上講，念地藏王菩薩聖號的時候，周圍眷屬，方圓幾十由旬裡都能夠隨著你得到善報。如果地球上念的人多，地球災難就沒有了；相反的，這個地球念的人不多，災難也特別多。我每次講經都要提一提，我們大家度衆生，沒有別的力量了，但我們還是有念地藏王菩薩的力量，或者念念佛、念念經、念觀世音菩薩、念其他菩薩、念佛號都可以，這就把他們度了，轉化一下，我們就用這個法布施供養。

因爲婆羅門女設供覺華定自在王如來的福德，讓她媽媽周圍的這些地獄的罪人沾光了，也跟她一起生了天，「應是無間罪人，此日悉得受樂」，沒說他們也全部生天，但是受樂當然不是在地獄裡頭了。

「鬼王言畢，合掌而退，婆羅門女尋如夢歸，悟此事已，便於覺華定自在王如來塔像之前立弘誓願：『願我盡未來劫，應有罪苦衆生，廣設方便，使令解脫』。」

「悟」就是明白了，開悟了。因爲她供養覺華定自在王，她母親生天了，同日的人也生天了，也得到好處了。鬼王跟她問答完之後，合個掌，做個禮就走了，她也開悟了，就跟作夢一樣。其實她就是在作夢，我們夢中所見的境界跟這種境界是一樣的，大家都作夢嗎？作夢要能有這種境界，跟這個也是一樣的。

這一段就是本經要說的目的，顯示地藏王菩薩大願，說他的因，就是說他怎麼現在能夠有這樣的成就，能夠度這些人，他因地就發了這個願，經過不可說不可說劫的時間，這是說，他在不可說不可說劫以前的事，他發願盡未來劫，未來劫怎麼盡得了呢？未來還有未來，是永遠無盡的，永遠就有受苦的衆生，所有未來劫的應有罪苦衆生，我要廣設方便，令他們得以解脫，度完他們。

這個是地藏王菩薩做婆羅門女的時候，有這麼一段因緣，爲了她媽媽，她看見衆生苦了，她立弘誓願，「弘」者大也，無邊無際的就叫弘，「誓」

就是堅強支持這個願，誓必完成。後面還有願的，把這幾個願加一起，就是「地獄未空，誓不成佛，衆生度盡，方成菩提」。

「佛告文殊師利：時，鬼王無毒者，當今財首菩薩是；婆羅門女者，即地藏菩薩是。」

釋迦牟尼佛跟文殊菩薩講故事，現在就得證實一下，那些人都是誰啊？「佛告文殊師利，時鬼王無毒者」，無毒的鬼王就是在我們法會當中的「財首菩薩是」，婆羅門女就是地藏王菩薩，「即地藏菩薩是」。這段故事是說地藏王菩薩在因地時候發願所感的果。第一品發了兩個願，一個做長者子發願，一個做婆羅門女發願，這兩個願都是無盡的。

分身集會品　第二

「爾時百千萬億不可思不可議不可量不可說無量阿僧祇世界，所有地獄處，分身地藏菩薩，俱來集在忉利天宮。」

這是因佛的感召，佛跟菩薩是身身相通、心心相應的，要說《地藏經》，法主必須來，地藏王菩薩是這一法會的主人，這部經的名字叫《地藏經》，但不是一個菩薩、兩個菩薩，有多少呢？百千萬億，把這百千萬億增加到不可說，把不可說再說到不可說，都是從一數起的，一億數到百千萬億，再把百千萬億再說到不可說，把不可說再說到不可說不可說，沒有辦法思量，心裡頭想不到，口裡頭說不出來，還是不可量不可說。

「阿僧祇」是「無量數」，這個無量的阿僧祇世界，都有地獄，凡是有地獄處都有地藏王菩薩在那兒教化度衆生。這麼多地獄處的分身地藏王菩薩都來到忉利天了。大家不要認爲是像我們這樣坐在講堂似的，這樣子忉利天也擱不下。忉利天怎麼容得下這麼多呢？忉利天不是像虛空似的，忉利天不是像四空天上的，四空天什麼都容得下，是空的！忉利天還是地表之上，在須彌山頂上，還沒有離開地，應當作不可思議會；化身，把那些化身都收攝起來就是一個身。

「以如來神力故，各以方面，與諸得解脫，從業道出者，亦各有千萬億那由他數，共持香華，來供養佛。」

「以如來神力故」，受佛的加持。凡是在佛法會中諸大菩薩所有一切神通，都把功德歸給佛，是佛神力所加持的，這些化身還有他所度的解脫者，或是從地獄出來的，或者「從業道出者，亦有千萬億那由他數」，也有不可思議那麼多。「共持香華，來供養佛」，手裡拿著香或者鮮花來供養佛。

「彼諸同來等輩，皆因地藏菩薩教化，永不退轉於阿耨多羅三藐三菩提。」

這些來者就是地藏王菩薩從業道教化出來，千萬億不可思議，「等輩」就是這些人，都是地藏王菩薩教化來的。教化到什麼程度呢？阿耨多羅三藐三菩提都不退轉了。這是跟地藏王菩薩同來的大衆，到阿耨多羅三藐三菩提，拔出地獄當了菩薩，永不退轉了。

「是諸衆等，久遠劫來，流浪生死，六道受苦，暫無休息；以地藏菩薩廣大慈悲，深誓願故，各獲果證；既至忉利，心懷踊躍，瞻仰如來，目不暫捨。」

這些人都經過長遠的時間受苦，在六道輪迴裡，因爲地藏王菩薩慈悲教化的關係，使他們都能夠出離苦海，獲得果證，因此才能夠隨地藏王菩薩到忉利天。「瞻仰如來，目不暫捨」，我想可能是第一次見佛，所以那種殊勝感非常的親切，眼光連極短的時間都捨不得轉移。

我們如果見聞《地藏經》之後，不管你的理解如何，深淺各有不同，但是從事上來說，你信仰心懇切的話，對事緣絕對放得下，能夠一心一意的讀誦、禮拜、作觀想。然而因爲我們沒有這種信仰力，不能夠目不暫捨，看了《地藏經》，看一看乃至於念一念就擱在那裡了。一天二十四小時，究竟有多少時間觀想地藏王菩薩？跟《地藏經》的經文對照起來，這些人到了天上見了佛的時候，他是什麼心情？當然他是斷了惑的，而我們是沒有斷，具足顚倒想。

現在我們講地藏王菩薩在因地之中，他是一感佛就應。我之前跟大家提過，爲什麼婆羅門女要念聖號？因爲覺華定自在王如來已經入滅，之後，在像法時期！如果我們拿常情論斷，人死就不能復生了，怎麼還能來到空中說話啊？還能知道她母親到哪兒去了？這是情，不是智。爲什麼覺華定自在王如來現身之後，讓她念他的名號？就是讓她念佛的時候，她的心跟佛的心相應。要是念念從心起，念念不離心，就能夠感應道交。

地藏王菩薩以他大慈大悲的力量加被我們這一些人，我們現在雖然沒有完全相應，這個種子種下去了，還得一生一生的相續不斷，切忌中斷。你經常誦《地藏經》或者〈普門品〉，經常的念觀音聖號或者念地藏聖號，念一念突然之間又不念了，或者碰到一個機會，碰到什麼境界，有什麼感應，你又再念了，這可以用幾種例子來說明。

母雞孵小雞的時候，所謂母雞跳窩就是牠不願意孵，孵一孵拔腿跑了，牠這一窩就是瞎蛋，一個也孵不出來。我說這個意思就是，我們要想求一種感應，得下苦功夫，萬緣放下，或者七天，或者十四天，或者二十一天。

自從去年講《占察善惡業報經》起，我跟大家說，供地藏水絕對能夠開智慧，增加相應，這是《地藏經》說的，《占察善惡業報經》也說了。喝水的不少，要想開智慧還早呢！

像經上說的，疑難經典聽到耳根，或者見到眼睛的眼根，一律在，永不忘失。爲什麼沒有開智慧呢？經文所說的，要三七日內勿殺害，至心思念大士名，還有不能打妄語，不准邪淫，不准一切的口過。我想三七天不打妄語的，單就這一點的要求很多人做不到。還有就是你念《地藏經》的時候，沒有吃素，還在吃葷，那麼你要求修得到的感應來相應，這是不合理的。就拿一般的理說，他叫你做你不做，沒有照他那個方法去做，你怎麼能收到效果呢？

有沒有感應呢？我想感應是不少的。就拿吳居士的例子來說，自從他發生車禍開始，很多道友給他念經，也給他迴向，現在有明顯的效果。據我所知，我在紐約來來去去的兩年多，他往生了之後，各個寺廟都給他念經，這種情況是很少的。就拿慈雲寺、東初禪寺，還有我們這些道友，有的在廟裡念，有的在他的家裡念，一直都沒有中斷。如果他不是念《地藏經》，不是皈依了，跟這些道友結了緣，大家會給他念經嗎？而且念到很晚，那天念到十點半鐘，難道這不是感應嗎？要說把這個業轉動，不受這個果，他的力量不行，他那種作法也不行。

大家都知道目犍連尊者神通第一，爲什麼會被外道打死呢？迦留陀夷尊者爲什麼會被外道打死，把他埋到糞堆裡去呢？他的弟子後來在糞堆把他找出來。他們都有神通的，可以不受這個報的。安世高尊者爲什麼到中國來，還要到河南跟山東的地方還報？這種例子很多，這是業果不失。佛所說法，一切法、一切事物，都在轉變當中，這當中有不變的，現在我們得不到，那就是體不變，在用上、相上都在轉變。變的程度的大小，時間的快慢，或者長久，或者短暫，這要看力量，看你猛利不猛利，千萬不要墮邪知邪見，因爲外頭的境界相會影響我們內心的觀念。

聽人家一說：「是啊！他信了佛、受了皈依了，還給汽車撞死，沒有信佛還不會有事。」我說，他不信佛，還是照樣會出事，只是少了大家給他做佛事的殊勝境界。信了佛就可以讓這一切事故都不會發生？能做得到嗎？因爲發生事故了，都推說信佛沒有效果，這是不大合理的，就常情來說也不合理。就你自己的信仰力，你信的程度，外人不知道，你自己內心很清楚，或者這些道友跟你家庭眷屬也很清楚。你說得很好，可是你做不到，完了又想得到經上所說的做到了才能有的境況，那是不行的！

比如你行醫，如果認為醫生一治就好，是不可能的，哪一個醫生都不能保證。我說這段話的意思，可能有些信力沒有扎根、沒有具足的時候，一個境界現前了，具體的事實在面前，信力就不堅定了，「我在這兒受罪，肉也沒有吃到，福也沒有享到，東方該享受的沒有享受到，西方的佛也沒有成就，兩頭都耽誤了！」不是這麼一回事！這種想法、這種思想的邏輯是不合理的。我這一段的敘說，就想解決這麼樣一個疑問。

我為什麼要住三十三年監獄？「你要是有德行就應該轉變果報，為什麼要去坐？為什麼要受報？沒有轉變，表示你沒有得道！」這要承認沒有得道，沒有那種轉變的力量。但是有時候自己一比較，連聖人尚且不免，何況我呢？所以我自己心安理得。我雖然是坐了監，但是我現在在說話畢竟有變化，我認為佛菩薩的加持相當大的，不然是不可能的，住三十三年的時間太久了。

每一個問題都可以用兩面來想。今天下午一位不信佛法的醫生，在紐約法拉盛區很有名，要見我，跟我談。他談的許多話，我們就知道他不太懂因果的觀念。他說：「我們醫生給人治病是好心好意給人治病，有人問我說：

『你是講醫德還是講醫錢？』」他答覆不出來，問我：「法師！這怎麼回覆他？」我說：「很簡單啊！我要醫德，也要醫錢。」他說：「這樣說對嗎？」我說：「怎麼不對！當一位醫生當然要注重醫德，你說不要錢？我要吃飯，我有妻子、父母，得對他們負責任，所以我兩個都要，不過我不收昧心的錢。」

類似這種問題，我們在生活當中發生太多了，如果你只要按經文來解釋，解釋不通的，也許會退失你的信仰力、道心。「是啊！你看他信了佛之後還撞死，不信佛還好一點，要是不信佛也許不會撞到呢！」每一年車禍那麼多，我們登記究竟有多少個信佛的人，汽車並不會專門往信佛的身上撞，我想不會這樣子吧！這是因爲他不信，他要找些理由，使信的人也不信。

深奧的理論要能夠觀空、觀假，觀一切諸法無常、苦、空、無我，眞能有這樣的證得，像我剛才說的這麼多問題一個也不會存在，可以堅定的信仰。我這樣說，是因爲他不信，他找出不信的理由，但是我們佛教徒就說出很多信的理由。信跟不信，有感應沒有感應，跟你做的功夫分別很大。有些人心裡動搖，也在那兒漂浮，但是他過去宿世善根相當深厚，再怎麼動搖也不會不信的，就用不著我們擔心；但是他如果宿世的根性不厚，再遇到外境就會完全垮了。我說這些是增加大家的信仰力。

這好像不是經文的內容，但也是經裡所要求的，地藏王菩薩教你修持的方法，你一定要照這個方法去修持。要是照這個方法修持，讓地藏王菩薩加持你，你想求得就得到。菩薩是平等的，他的心沒有污染，是清淨的，這種求是你的心，感應是你自己的感應，跟菩薩相應了，你自己就得到感應。我們這個心跟一切社會上的事物，都是在不斷的運轉、不斷的變化，就看你怎麼轉、怎麼變。

「爾時世尊舒金色臂，摩百千萬億不可思不可議不可量不可說無量阿僧祇世界，諸分身地藏菩薩摩訶薩頂，而作是言：吾於五濁惡世，教化如是剛強眾生，令心調伏，捨邪歸正，十有一二，尚惡習在。」

釋迦牟尼佛摸地藏王菩薩的頂。這是佛教的一個儀式，另一方面就是加持力。像密宗的上師摸摸你的頂，得到摩頂就得到加持，跟他心心相應，息息相通。達賴喇嘛到這裡來給誰都灌頂，如果在西藏要請達賴給你灌個頂，必須有一定的地位，起碼是西藏的活佛，他才用手給你摸摸。一般是用根長竿子，竿子頭上掛面紅布，拿這個布在底下這麼點一點就算不錯了。這個摩頂，佛在世時候就如是了：「加持你！」或者是用我們現代話說：「你度衆生太辛苦了！」

「世尊舒金色臂」，形容佛那個臂跟我們不一樣，這是三十二相裡頭的。我們以黃色、金色爲上，我們塑像都要貼金色的，表示尊重、莊嚴，而佛是功德感應的。有多少位地藏王菩薩到了忉利天宮？數字很不容易知道，也數不清，「百千萬億」完了，又「不可思不可議不可量不可說無量阿僧祇世界」，這是處所，地藏王菩薩就在這些地方度一切衆生，絕不是像我們所想的，只有南贍部洲五十多億人。

有人問我：「地藏王菩薩那麼多，比我們這裡的五十多億人不曉得多好多倍，我們怎麼還沒有看見地藏王菩薩？一尊也沒有看見！」這句話問得合理不合理？沒有信佛的人不懂我們佛教些好的道理，已信佛的弟子也對於這個意思不理解，分不清楚地藏王菩薩的化身跟他的報身、法身。現在這個世界上有很多的地藏王菩薩，但是你不認識！你能認識他是地藏王菩薩嗎？

在唐朝的時候，大家不知道金喬覺是地藏王菩薩。觀世音菩薩也是千百億化身度人的，你也不知道是觀世音菩薩。我們看他或者現一個女人身，或者現一個老太婆，而且看經文所描述的，乃至現為山川、河水、泉水，不但是有情，乃至於無情，菩薩都現身了。這只能意會，不能言傳，說也說不清楚，不可思不可議，想也想不到。

佛的金色臂就摸這麼多地藏王菩薩的頂，這可不是要我們排隊摸頂。在西藏的時候，三大寺的喇嘛要讓達賴喇嘛摸一次頂，要摸三個鐘頭，你看有多少人？無論人民、喇嘛都擠到這一天要讓他摩頂。如果是大喇嘛還要碰頭，還有那時候我們在西藏的有幾十個漢喇嘛，稱為甲喇嘛，甲者就是指漢地，說漢地土地特別大。那個大地方的僧伽，他客氣的時候給你摸一摸，再客氣的時候，他會起來跟你碰碰頭，那是最大的榮幸！

現在到了美國紐約也好，在印度也好，跟達賴喇嘛摩頂碰頭太容易了，也沒有感覺到什麼榮幸，好像就是他們的禮節。我們信佛這麼久了，你有沒有夢見佛給你摩頂？乃至於有沒有夢見觀世音菩薩給你摩頂？或者有沒有夢見地藏王菩薩摩頂？我想這種事情很少發生。為什麼沒有呢？為什麼有人有呢？就是你沒有感應到。釋迦牟尼佛對那麼多大菩薩都沒有那麼做，為什麼對地藏王菩薩這樣做？這個大家可以想一想。

而且地藏王菩薩住的處所，不是像我們所想像的，只有我們這個小小南瞻部洲，是無量阿僧祇世界，再加上不可思不可議不可量不可說，這麼多無量的阿僧祇世界，一個世界又有很多眾生，一個菩薩化身要度很多眾生。所以摸地藏菩薩摩訶薩頂的意思，是囑託他，釋迦牟尼佛就拿他自己做的例子說：「眾生難度！」眾生難度的這個義涵，我是體會出來了，眾生有種種欲，有種種的根性，佛菩薩要將就眾生，而不是眾生將就佛菩薩。他得隨緣，隨他善根的力量，還有種種語言、種種民族的個性等等不同的層次！

一邊摸著他的頂，一邊安慰他，一邊向他說，在這個五濁惡世的地方，世道不好。我們經常說這個世界不好、不清淨，這個地點沒有那個地點好，那個地點沒有另一個地點好，哪有好地方？在這五濁惡世裡沒有一片乾淨土！要教化惡世的這些「剛強」衆生，在社會上，我們把「剛強」當成好的字眼，說勇猛剛強，意志堅定。佛教則認爲「剛強」是不好的，要柔軟善順。剛強的衆生也不喜歡剛強的人，也認爲柔軟好、善順好，找對象，男的找女的都要找一個善順的、柔和的，不會找很粗暴的，動輒就發脾氣的，他不敢找，道理就是這樣子。

佛菩薩度衆生也是這樣子，你要度化他或者幫助他，他則設下種種的難題，想盡一切方法把你問住；第一個把你問住，第二個讓你答覆不出來，乃至於出一點事，他還拿你開玩笑，這種事情我碰見很多了，所以說剛強衆生不好度。我有一個眷屬跟我講：「你不要一天淨講度衆生，我就不度衆生，我度的衆生跟你不同。」我說：「你度什麼衆生呢？」他說：「畜生好度人難度，願度畜生不度人！」我說：「好！你去度獅子、虎、狼，你把牠們度了，免得牠們害人！」

這都是偏見，或者說是邪見，人有一定的福德，怎麼能跟老鼠、蒼蠅、蚊、蟲，跟那些畜生來比呢？雖然這世界上的眾生是剛強的，難調難伏。要是好調好伏的話，他就不需要菩薩來度，自己就度了，那又怎麼能顯出你的大悲心呢？在菩薩度眾生這一個境界要具足大悲心，要具足深心，你要有一切的善法，能夠有取之不盡的寶物，施與眾生，要是沒有這兩點，你怎麼去度眾生？

所以釋迦牟尼佛說：「你這個大悲心、這個智慧，我是理解的，因爲我也如是。我在五濁惡世教化剛強眾生，使他們調伏、捨邪歸正很難，就是現在捨邪歸正的，十有一二。」「捨邪歸正，十有一二」，有兩種講法：第一種，我已經度的有七八成，還有一二成沒有度脫，還是有邪知邪見；或者想讓他們捨邪歸正的，僅僅度了十分之一二，已經得度了的那個惡習還在。

就像裝過臭豆腐的杯了，你就算洗很多次，臭豆腐味道還是有，那叫習氣。我們很多的煩惱，說我降伏、克服了，不這麼冒火了，到時候又生起煩惱了。就像我們看人家的相面，說這個人從體質上看不出來，但是一看，有股氣就告訴你了。察言觀色就是這個意思，那就叫習氣。這種故事很多，佛在世的時候，有很多阿羅漢，他雖然見思惑斷了，習氣還存在。

有一個阿羅漢，他過去多生多劫都是生在貴族家，這回當了比丘，他的習氣還是照樣存在。那位阿羅漢有時候過河，他可以令河神斷流：「把這個水斷了，我過去！」河神因爲尊敬阿羅漢，就給他斷流了。他怎麼說呢？他說：「小婢（他不稱河神）！斷流！」河神因爲恭敬他，斷了水讓他過河，回來就向佛告狀說：「你這個弟子太驕傲了！」阿羅漢就向河神懺悔說：「小婢！你莫瞋啊！」（大家都笑了。）佛就是講這個習氣，這種無量劫來的習氣不容易斷。「尚惡息在」，我雖然是把他度了，捨邪歸正了，但是他的惡習還在。

「吾亦分身千百億，廣設方便。或有利根，聞即信受；或有善果，勤勸成就；或有暗鈍，久化方歸；或有業重，不生敬仰。」

這些話是釋迦牟尼佛勉勵地藏王菩薩的，說你可能遇到這麼一件事，但是「吾亦分身千百億，廣設方便」。我們就說四攝法吧！「愛語」，只說好聽的話，說衆生喜歡的話，不要對衆生瞪眼睛吹鬍子，只說粗惡語，這是不行的。佛是圓語的，他必須說人家愛聽的。還有，必須做與人家有利益的事情，不要讓一切人給你淨做有利益的事情，你應當做一切有利於衆生的事情，這叫「利行」，利於一切衆生的行門，這是方便法。還要「布施」，施給衆生，有財捨財，有法捨法。還要「同事」，你示現跟他共同工作，他要是做什麼事業，你也做什麼事業，這就容易接近了。他是木工，你也是木工，一邊做著木工，談起來就把他度了。這叫做方便法，但是每一種的方便法還包括很多的類別。

要看那個人的善根鋒利不鋒利。利根就是他培的善根很深厚，一聞就懂了，一說他就明白了。爲什麼佛在世叫正法呢？他一聞到佛法，馬上就證果。像法時還是有些證果，有些開悟的，但是就差得多，證果就少了；末法時簡直就是鳳毛麟角，很少很少。現在也是有利根的，一聞佛法就能理解，而且還能解說。有的學了很長的時間還是不能明白，甚至一句話跟他反覆說多少次，還是不能理解，所以利根跟鈍根是不同的；利根的人跟他說佛法，他一聞就信，一信就不懷疑，這就是有信心的，這樣的人就叫利根，信了之後他就承擔起來，就接受了，就去做，這叫信受。

信跟受兩者的意義不同，信歸信，而且能夠力行。我們雖然信了，也知道這個方法好，就是不做，不做效果就沒有了，要做才能收到效果。那時候不做了，信完了之後，等到善根發作，你又做了。等到什麼時候？受苦的時候才想起來。我那天作了一個很長的夢，在那兒苦到極點，在下油鍋的時候，就念了「南無佛」，也不知道是什麼意思就念，一念什麼境界都沒有了。必須受苦難到了頂點，善根發現了，突然想起來念「南無佛」，爾後在第二次才念「阿彌陀佛」，才生到極樂世界。

我從那個夢上體會給我的啓示，說明信了之後，等到長成了，遇到因緣受苦了才死心；當苦難臨頭了，到了危難的時候才抱佛腳。我們有很多的道友，白天抽出了時間在家拜懺或者念佛，不說功德，就說你這個行門，這樣去做，很多的災難消於無形無相，你還不知道；我們衆生非得見了之後，苦非得受深重的時候，才知道佛說得不錯；要是沒有受到，他是體會不到的。

我沒有住監獄以前，人家跟我講生病，苦得不得了，我根本不相信，那個病或者那點不舒服，一害就過去了。因爲我從來沒有害過病，感覺到沒有必要煩惱，也不知道病苦究竟是什麼味道。現在體會到了，「老苦」，耳朵不像以前那麼靈了，牙齒掉了，有些東西硬的咬不動，一咬確實痛，眼睛有時候花，有時候不花，就知道老了，八十歲了，恐怕苦一個跟著一個就來了，這就叫老苦了。等苦來了，不錯的，承認這個才是了。衆生心就是這樣子，要是沒有逼到他身心的時候，他不信，等逼到他身心了，他曉得不信是不行的。

那個時候念佛有好處嗎？有！效果不那麼靈，因爲平常沒有做，你不熟練，不熟練要產生效果不可能，要一心用功。無論你作哪一行，新出道的工人，要想跟老工人拿一樣的價錢，根本不可能。你根本不會的，所以這個效果怎麼產生？

念佛、誦經，時候久了，他從修行當中體驗出很多的問題，知道應當怎樣做效果更好一點。如果你剛接觸到經文，就想開悟，剛修行兩天，就想了生死，哪有這麼便宜的事！不過佛菩薩還是大慈大悲來加持你，使你慢慢成長，使你信心更具足，用起功來更能深入。等入到究竟的時候，感覺你的功又是白用了，好像沒有什麼事了。成佛的時候一看，衆生跟我一樣，都具有如來智慧德相。

你現在還沒有承擔起來！「地」者心地也，「藏」者含藏也，自己就是地藏菩薩，也不用去拜地藏王菩薩了。可是我看你始終也「地藏」不了，因爲當你的苦來時，當下你也不能夠自在。

法從淺入深，一步一步的進行，才挖一瓢就想挖出一口井，就想冒出井水，沒有這種事情。大家從小學到中學到大學，完了還得當研究生，修碩士、博士，才有那麼多的知識。哪有剛入小學就想跟博士畫等號，可能嗎？

所以我們對佛教所有的教義，必須身體力行之後，自己才有一些體驗。雖然是佛說的種種法，但是在用的時候往往有出入。因爲我們個人的根基、業障的深淺都不一樣，張三這個法則靈，但在李四則絕對不靈，因爲從來沒有溫習過。所以必須有誠懇的心，得勤修，對於不是利根的人，佛菩薩就麻煩了，必須得勤勸他，使他別退心。

像我們一個星期講一回，現在又增加一回，變成兩回，這就是勤勸的意思。聽久了，自然就要去做；做久了，自然就開智慧了。越開智慧，你越願意做，惑業越消除，無論什麼事業，越順你越高興，你就感覺到佛菩薩加持我了、師父加持我了。如果是經常碰到困難，什麼事都碰到彆扭，信心漸漸就退了。所以必須得勤勸，必須得相信因果啊！

還有「暗鈍」的，就是很愚癡，怎麼度化他，他也不屑。你要想他眞正不退失了，再換一生還不退失，分段身不管經過好多生，他只有向上增長，不再往下退了，這是很不容易的。有時候，佛菩薩度一個衆生，跟著他好多劫，那很不容易。我們自己懂得這種道理了，自己要自己加強。

「或有業重，不生敬仰」，這是根本不信。雖然化了千百億身，經過好多劫的度化，還是有根本不生信仰的。爲什麼呢？因爲他業重無緣。佛教讚嘆佛的時候，不是像人家讚嘆說：「萬能的主啊！」佛不是萬能的。無緣的時候度不了，你的業果成熟了，他不能代替你。儘管普賢菩薩發願代衆生苦，但是願是願，衆生的業果，誰的就是誰的，業果不失。只有加強心裡面的光明，你自己把你的業果轉了，那行！無緣的度不了。佛不能代你的業，這一點一定要相信，佛也是要你自己去作。

「如是等輩衆生，各各差別，分身度脫。」

這是釋迦牟尼佛說他自己，像這麼多的衆生各個不同，一個人的一生，該相同吧？還是不同！生命的前期、後期、中期都不同！我說這個不是看別人的一生，也不是學來的，這是我自己身體力行學來的。我現在出家六十年了，我最初的那十年不同，最近的又不同，中間的也不同，其中的反反覆覆、起起落落不知有多少，我剛才說的那些思想我都有過。我也懷疑過，究竟佛教是不是能解決我們的問題？佛所說的這個方法，我在具體的事物上是不是能夠得到？諸如此類這些事，我都經驗過。

由此差別的不同，佛就現了很多的差別身來度脫。上面是總說，以下就別舉了。

「或現男子身，或現女人身，或現天龍身，或現神鬼身，或現山、林、川、原，河、池、泉、井，利及於人，悉皆度脫。」

平等度脫，沒有分別心。像我們就不同，我們就有分別心，先從六親眷屬度起。可是外面的人都信了，你的六親眷屬就是不信，甚至兄弟姐妹就是不信，你運用很多的事例說明，他還是不信。因爲他們跟你接觸久了，要度脫他，是要花很多的力量。

也有度男人現女人身的，也有度女人現男人身的，這要看具體的情況。所有現的身必須跟所度的那一個社會、那一層人有緣，以什麼身得度者就現什麼身，這是變化的、不一定的。就是遇到什麼因緣就現什麼身，或現天龍，或現神鬼，或現樹林，而「川」就是大水，「原」就是平原，或者河流、池塘、泉水，或者現井，這些對人是有利的，它是變現的，這類事情很多！

大家要是住過山林就可以體會得到，那些老修行看這個地方很好，他就在那裡住著。到時候要吃水了，方圓之內山上山下沒有水，需要下山去，把水背上來。十幾里路，一個下山，一個上山，這一天不要修行，揹水就好了。不管怎麼樣，求佛菩薩加持吧！頭一天沒有，第二天把石頭掀開，它就有水了。你說奇怪嗎？一點也不奇怪，佛陀所示現的境界很多。

像有一個老修行，他住在藏王山，支的棚子倒了，他乾脆不支，就找一個樹底下坐下。在樹底下坐著，鳥兒一天在那個樹上鬧，弄得他心裡也不靜，他就在那裡磕頭，說：「佛菩薩給我個地方，什麼地方都好，讓我能夠修行。」磕完頭一找，才走沒多遠就找到一個洞，他就在洞裡修行成了。

以前沒有這種事情，後來現了，這就叫加持力。我們現在這個社會仍然還有神仙，也還有得道者，他們都哪兒去了？我見不著，等你把山打開就見到了。這個不是笑話，現在他們進去了，山封了，他要是拿手一掰，山就開了。不過我們沒有這種神通，我們掰不開。我們要是掰得開的話，到雞足山把迦葉尊者找出來，讓迦葉尊者跟我們說法。雞足山離得太遠，近處的有五台山的金剛窟，文殊菩薩常坐在金剛窟說法，虛雲老和尚見過，我們都見不到。我們到金剛窟，就是一座山，一個石頭，有這麼一個門，其它的沒有，這個門不是開開的，要在這兒求，求了靈了就開了門進去。類似這樣子，每部經典裡頭都有，你沒有這個因緣是不行的。

「或現天帝身，或現梵王身，或現轉輪王身；或現居士身，或現國王身，或現宰輔身，或現官屬身；或現比丘、比丘尼、優婆塞、優婆夷身乃至聲聞、羅漢、辟支佛、菩薩等身，而以化度，非但佛身獨現其前。」

佛在《地藏經》上說得很清楚，什麼身都現。釋迦牟尼佛的佛身入滅了，所現的男子身、女人身乃至這上面所說的都有、都在。你就好好修行吧！你求的因成熟了，緣就來了。緣起不是固定的，這個緣滅了，那個緣又來了；像海裡的水泡，這個滅了，那個起了；好比我們這個分段身亡了，那個分段身又來了，是相續不斷的，無窮無盡的。佛菩薩度眾生也如是！無窮無盡的！緣成熟了，你求得相應了，佛就在你面前。

佛佛都如是。前面講，婆羅門女她求了，覺華定自在王如來還是現前了，告訴她了。佛不能跟著她，念佛號就行了。她是作夢，還是醒著，到了海邊？大家想一想，是作夢還是醒著？她怎麼去呢？怎麼能到那海邊去呢？無毒鬼王告訴她，一個是威神力，一個是業力，除了這兩種，她到不了。婆羅門女不是業力，她現在沒有威神力，念覺華定自在王如來故，所以佛教念名號的原因就在這兒。我之前跟大家說了，不知道大家是不是也是這樣想這個問題？就知道釋迦牟尼佛也如是了，不是「佛身獨現其前」！

「汝觀吾累劫勤苦度脫如是等，難化剛強罪苦眾生。」

這段經文含著很深的意思。佛跟地藏王菩薩說：「我為什麼要跟你說這些呢？我要你知道，我經過累劫的布施。」而且不是像我們給幾個錢，而是頭目手足、王位、妻子，什麼都給啊！竭盡施，投身飼虎，割肉餵鷹，這些事釋迦牟尼佛多生累劫來做得多了。這個娑婆世界，這個三千大千世界，沒有一個微塵地方，不是釋迦牟尼佛捨生的地點，他捨了好多身。所以說累劫的勤苦，做什麼呢？「度脫如是等」，就是我上面所說的剛強的眾生，而且是難化剛強的罪苦衆生。

「其有未調伏者。」

上面等於是佛向地藏工菩薩敘述，眞正的涵義就在這一段。說什麼呢？還是沒有得度的，囑付他去度。前面不是說「十有一二」，你要把他們度了，這就是佛的遺囑。

「調伏」的涵義很多，調伏你剛強的性格，要柔和圓融。不是講調伏，要調伏到相應。你要坐禪，調身調心調息，調到相應處了，就叫「瑜伽」，要相應，必須經過調伏。包括你拜懺、禮佛、誦經，都必須經過調伏的階段。

例如，你念經的時候盡打妄想，不念經沒有事，一打開經本，一坐在那裡頭，有兩種情形，一個是點頭打瞌睡，一個就是不曉得念那兒去了。面對這種情形，你自己要罰你自己，怎麼罰啊？從頭念起！看你第二遍還注意不注意，不注意，你再從頭念起，這樣就注意了。一個字一個字的念，不是那麼容易的。說我一個字一個字就念，你念吧！讀誦大乘經典，就是修行的法門。你念念能開智慧，念念能入定。我們念的經，一般說來能入定嗎？能入定！念得你自己就變成像鏡子似的，照著這個經文，一照過去，相當快，時間非常短暫。但是這個情形不多，怎麼不多呢？很少人誦經可以誦到定中誦的境界。

大家知道《華嚴經》好讀嗎？有的修行人他不到一個鐘頭就誦完一部《華嚴經》，這叫入定。這種功夫層次很多，有很多不同。一樣的誦經，你也是拿那本誦，我也是拿那本誦，有的出聲，有的不出聲，有的金剛誦。所謂金剛誦是自己聽到，外人聽不到，綿密不斷。同樣拿著本子誦，同樣也在修行，人家修觀的觀得相應了，你就觀不到，你一觀就睡著了。他隨著文字觀的時候，眼觀鼻，鼻觀心，還要不失掉那個字，你能做得到嗎？

所以要調伏，調伏就是功夫，不斷禮佛、拜懺、誦經，都含著調伏的意思。說念阿彌陀佛，念阿彌陀佛很不容易，大家試一試，讓你念念從心起，念念不離心，你就達到一心不亂了。你能不能每一念都從心起？能不能念念都歸心？你說念佛容易？要達到這種境界，不容易！這就要功夫，就要修行。

要是眞正的修行，哪一個法門都好，在修行的過程，一種是你自己在修行過程當中，你自己去體會，白己在那兒調。就像彈琴似的，音調不好，你自己得調，把絃調得不緊也不鬆，才能彈出美妙的音聲來；你如果緊了，繃！一彈斷了；鬆了，什麼聲音也發不出來。

別人念也是念，你那樣念也是念，但是這裡頭的情況完全不同。跟大衆念，敲著木魚念，那就不同了，你只要隨喜，你只能說種善根，要想修行，不是大家這麼一塊兒和著修行的。喲！末法了，大家念一念，種種善根而已；要修行，那樣念是不行的，絕對不行。還有些人，跟著大衆念的時候，他不曉得念到哪裡去了，他聽著人家念，他也跟不上，因爲他平常沒有隨誦。所以說調伏很不容易。

「隨業報應。」

我剛才講了很多，講到你的業感，我們要求什麼，要取個報答。「應」就是你感應，你求就還報，得看你業做得怎麼樣，就是我剛才講的修行的過程，念佛也好，參禪也好，你的業做到什麼程度，那麼你的報應就達到什麼程度。爲什麼你不靈？你沒有做好。就像王羲之的兒子學王羲之寫字，學了十幾年都不行，其中有一個字掉了一點，他爸爸王羲之查那個卷子時把它點上了，老和尚比他爺倆都高了，「可憐十年寒窗苦，只有一點像羲之」，結果一問，那一點是王羲之自己點的。學了十年，連一點都不像，不是那麼容易的！

不但出家的事業如是，在家的事業也如是，你要想讓事業達到巓峰，一定要用心。那個心就是你的智慧，要算計得恰恰合適，三個加五個絕對是八個。那麼用你的方法，四個加四個還是八個，兩個加六個還是八個。方法是不同，但是八個是目的。就是說，我們修行要能達到一個目的，但是在過程當中，你有你的方便，你有你的調伏方法，他有他調伏的方法，報應是相等的。爲什麼有八萬四千法門？八萬四千法門多了，認定這當中的一法門，我們這麼修行，一人一樣，只要能達到那個目的而已。

「若墮惡趣，受大苦時。」

就是墮了三惡道，或者到地獄，或做餓鬼、做畜生，都叫惡趣；三善道不叫惡趣。受到最大苦難的時候，假使有未調伏的衆生，隨他業感的報應，墮到惡道就受大苦了。

「汝當憶念。」

那個時候，「汝」就是囑託地藏王菩薩，你應當憶念，記得、回憶。

「吾在忉利天宮，慇懃付囑。」

「慇懃」就是誠誠懇懇的，一遍又一遍的囑託。這部《地藏經》前前後後，釋迦牟尼佛囑託地藏王菩薩，到最後十三品〈囑累人天品〉還是一再的囑託。

「令娑婆世界至彌勒出世以來眾生，悉使解脫，永離諸苦，遇佛授記。」

令我所教化的這個娑婆世界，當我涅槃了，彌勒菩薩還沒有降生，在中間無佛的時期，地藏菩薩要負起責任，讓他們都解脫。「遇佛授記」，或者是遇見彌勒佛，或者是以後的佛，讓這些受苦難的衆生，未來都能夠遇到佛，都能夠成佛。「授記」就是記他將來在什麼時候成佛。「永離諸苦」，不論三苦、八苦，一點苦都不讓他受到。

一般說起來，經論上說，凡是釋迦牟尼佛的末法弟子，在彌勒佛出世之後的龍華三會，不叫菩提樹了，彌勒佛是在龍華樹下成佛的。在三會上把釋迦牟尼佛遺留下來的弟子都度了。於是有些人就等著了，認爲不要緊，我散散漫漫、懈懈怠怠的，等彌勒佛出世的時候我還是得度，反正有我一份。這樣的想法是絕對錯誤的。你要是一下地獄，下到那麼長的時間，彌勒佛過去了；或者你要是入定，你定中也過去了，那時間很長啊！所以不能等的，不能夠有這種不合理的妄想。你要好好的修行，不要等待；你要是能修行，在修行的時候彌勒菩薩來了，你也成了，等待是不行的。

好多經論是這樣說的，何況是《地藏經》，念了地藏王菩薩聖號了，地藏王保證你不墮三塗、不墮惡趣。但是你來人間，來天上，你還是要造業的，成佛也沒有保證，也就是沒有授記你成佛，你要爭取授記成佛才好。不要隨語言文字去取分別，那樣你很容易犯錯誤。這個錯誤可不像在人間犯點錯誤受點懲罰，這個錯誤一犯就錯好多劫，不能成佛！要時時觀心，時時不放逸，時時覺察，這樣子成佛就有份了。

「爾時諸世界分身地藏菩薩，共復一形，涕淚哀戀，白其佛言：我從久遠劫來，蒙佛接引，使獲不可思議神力，具大智慧。」

前面是阿僧祇劫那麼多，不可思不可議的，那麼多的地藏菩薩現在是一個地藏王菩薩。「爾時」，就在佛囑託地藏王菩薩的時候，這些地藏王菩薩共復一形。就是地藏王菩薩把所有化身的、示現的、變化的都合而為一了，這種神力一變一收，是不可思議的，這裡頭哪位是地藏王菩薩也不知道了，不過現在沒有收，就在這裡利益眾生，我們自己都做如是想。

佛一囑託他，地藏王菩薩就「涕淚哀戀」，不過可不是像我們哭，「涕涙哀戀」是情，地藏王菩薩不是這樣子。我們從字面上，「涕涙哀戀」是可憐衆生苦的意思，衆生是難調難伏。因爲佛囑託他，悲憫這一些衆生，這是大悲的表現，不是愛見大悲，是稱性而起的，因爲一切衆生跟地藏王菩薩一體，人人都是地藏，人人都是釋迦，就是同體大悲。

佛說了之後，他就表白他的志願。「我從久遠劫來，蒙佛接引」，這個「佛」不一定是釋迦牟尼佛，也可以說是釋迦牟尼佛，佛佛道同，都一樣的。我也是受到佛陀教化的，所以我現在有不可思議的神力。地藏王菩薩承認自己有不可思議的神力，有大智慧。

「我所分身，遍滿百千萬億恆河沙世界，每一世界化百千萬億身，每一身度百千萬億人。」

這跟前面說的分身地藏王菩薩是一樣的。現在我共復一形了，但是我的分身還是可以到百千萬億恆河沙世界去，每一世界一身要化百千萬億衆生；或者，我這個分身遍滿百千萬億恆河沙世界，每一世界又有我化的百千萬億身，有這兩種說法。地藏王菩薩的化身重重無盡，每一身要度百千萬億人。

「令歸敬三寶。」

令這些眾生都能夠皈依佛、皈依法、皈依僧。

「永離生死。」

不說成佛，成阿羅漢果也可以，永離生死了，不到墮到六道了，不受輪轉了。

「至涅槃樂。」

最終達到佛果，究竟涅槃。

十方世界，往開闊想是無窮無盡的，收攝想是一微塵裡都可以，可開可闔。我們講《華嚴經》，說「一微塵裡轉大法輪，於一毫端現寶王刹。」我們這一個汗毛尖上，就是一個佛所教化的國度，就是一個大千世界，這種義理很深了。所以數字不論有多少，跟「一」相比，不論好多，要是沒有「一」，什麼數字都沒有了。所以〈普賢行願品〉就是一到十，一者數之始，十者數之終，到十就沒有了，重新開始還是一至十，百千萬億不可說不可說轉，還是得從一到十、從一到十這樣增加上去。沒有一的相對法，一切不存在。

我們本具的那個佛性，含攝一切諸佛、一切衆生，十法界就在我們自己的性體當中。所以說心地藏性，地藏王菩薩就是十方一切諸佛，也是十方一切衆生，都可以說的。但是這是理，事上，絕對不行；理是通的，事上，你不是我、我不是你。在理上，你也是我，我也是你，無相對法。我們在《占察善惡業報經》的下半卷講過一次了，這種道理我們說到這兒，大家明白這種涵義就行了。因爲現在我們沒有證得，連相似懂也還沒有清楚，只是打開經本，聽佛這麼說，我們跟著這麼樣想，但是自己承認不承認這個問題呢？還是問題！

我能夠以一身度百千萬億衆生，那麼百千萬億的身要度多少衆生呢？乃至於百千萬億僅僅是百千萬億恆河沙世界的一個，這麼樣的往上去，反覆回來這麼一計算，所度的衆生就多了。過去如是，現在如是，未來還是如是，那麼地獄應該早該空了！地獄不空，永遠都不會空的。這些數字，它是包含不盡的。

「但於佛法中所為善事，一毛一渧，一沙一塵，或毫髮許，我漸度脫，使獲大利。」

他在佛法裡頭有這麼一點點的小善根，乃至看見三寶了。相反的，不恭敬，遇見三寶就謗毀，謗毀完了下地獄沒有問題，這是必然的；但是因為他有遇見三寶的因緣，到最後他還是要成佛的。哪管站在相反的立場上，只要接觸到了，也是種善根。所以《法華經》上說「單合掌小低頭，皆共成佛道」，他就算不合掌、不低頭，只要到廟裡頭旅遊逛一圈，他也要成佛的，但是時間可就長了。

這是地藏王菩薩向釋迦牟尼佛所做的保證，假使有這麼一個衆生，他在佛法中做的好事只一點點，極少極少的，像那個汗毛似的，像一滴水似的，或者像一個沙粒、一個微塵那樣的，我都要度脫他，使他得到大利益。

「唯願世尊不以後世惡業眾生爲慮。如是三白佛言：唯願世尊不以後世惡業眾生爲慮。爾時佛讚地藏菩薩言：善哉！善哉！吾助汝喜，汝能成就久遠劫來，發弘誓願，廣度將畢，即證菩提。」

觀衆生業緣品　第三

「爾時佛母摩耶夫人，恭敬合掌問地藏菩薩言：『聖者，閻浮眾生，造業差別，所受報應，其事云何？』地藏答言：『千萬世界，乃及國土，或有地獄、或無地獄；或有女人、或無女人；或有佛法、或無佛法，乃至聲聞辟支佛，亦復如是，非但地獄罪報一等。』摩耶夫人重白菩薩：『且願聞於閻浮罪報所感惡趣。』地藏答言：『聖母，唯願聽受，我粗說之。』佛母白言：『願聖者說。』」

「爾時地藏菩薩白聖母言：『南閻浮提，罪報名號如是。若有眾生不孝父母，或至殺害，當墮無間地獄，千萬億劫求出無期。若有眾生出佛身血，毀謗三寶，不敬尊經，亦當墮於無間地獄，千萬億劫，求出無期。

若有眾生侵損常住，玷污僧尼；或伽藍內恣行淫欲，或殺或害，如是等輩，當墮無間地獄，千萬億劫，求出無期。若有眾生，僞作沙門，心非沙門，破用常住，欺誑白衣，違背戒律，種種造惡，如是等輩，當墮無間地獄，千萬億劫，求出無期。若有眾生，偷竊常住財物穀米，飲食衣服，乃至一物不與取者，當墮無間地獄，千萬億劫，求出無期。」

「地藏白言：『聖母，若有眾生，作如是罪，當墮五無間地獄，求暫停苦一念不得。』摩耶夫人重白地藏菩薩言：『云何名爲無間地獄？』」

地藏白言：『聖母，諸有地獄在大鐵圍山之內，其大地獄有一十八所，次有五百，名號各別，次有千百，名字亦別。無間獄者，其獄城周帀八萬餘里，其城純鐵，高一萬里，城上火聚，少有空缺。其獄城中，諸獄相連，名號各別，獨有一獄，名曰無間。其獄周帀萬八千里，獄牆高一千里，悉是鐵圍，上火徹下，下火徹上。鐵蛇鐵狗，吐火馳逐獄牆之上，東西而走。」

「獄中有床，遍滿萬里。一人受罪，自見其身遍臥滿床。千萬人受罪，亦各自見身滿床上。眾業所感獲報如是。」

「又諸罪人，備受眾苦。千百夜叉及以惡鬼，口牙如劍，眼如電光，手復銅爪，拖拽罪人。復有夜叉執大鐵戟，中罪人身，或中口鼻，或中腹背，拋空翻接，或置床上。」

這是第三品，摩耶夫人請問地獄的情況，這些話都是地藏王菩薩回答摩耶夫人說的話。

前面講獄中也有床，就像我們睡覺的床一樣。但是地獄的床很大的，這個床是遍滿萬里，一個人受罪了，感覺你這個身體遍臥滿床，那個身體就大了。或者說罪人的業報所感，看見那個床很小。實際上這個床有時候有很多罪人，但是都各自看到是自己一個人，這是業的關係。每一個人看到一個身子也是這樣子，千萬人受罪都在同一個床上，都見到他一個人佔一個床。這是什麼緣故呢？因爲他過去的業造了很多，衆業所感，不是一件、兩件的事。

床僅僅只是一個樣子，罪人還要受其它種種的刑罰。反正這些刑具是給造罪的人，只有一個目的，就是使他受苦。苦不是一種樣子，是多樣的，下面就分別說這些苦。

先講講這個罪。在生前有些事情還不是罪，但是死後它就成了罪了。爲什麼在生前還不是罪？因爲在人間，各個國家訂的法律不一樣，有的國家這個算犯了罪，有的國家這個不算犯罪。有些人間法律的因果很不好講，我們大家所見到的事實，比如說我們現在所在的美國政府，一年花好多的人力、財力禁止販毒，但是吸毒還是公開的。這個世界上有種毒品的，有製造毒品的，你說這個罪怎麼定呢？有些國家賭博是犯罪的；有些國家開賭場，抽賭稅，你說賭博算不算犯罪呢？人間的事，說殺一個人，過去的古話是「殺人者償命」，現在不是「殺人者償命」。

以三皈依來說，你皈依佛、皈依法、皈依僧，受了之後，你又不皈依了，反而去皈依外道，在人間這樣沒有什麼罪，你愛信什麼教，就信什麼教。但是在地藏王菩薩說的《地藏經》，這就是犯大罪，還不是小罪。像我們，如果對佛、法、僧三寶不恭敬，乃至毀謗，在法律上有什麼罪呢？不會有罪的。

但是在你自己所感的業果上，那就是罪了，而且還不是一般輕的罪，而是很重的罪；毀謗三寶、不敬尊經，就是對《地藏經》毀謗的時候，這個罪比一般的殺人罪還重。

另外屠宰的，有什麼罪呢？沒罪。釀酒、造酒的，在人間法律也不算是罪，但是在佛教就定罪了。這些罪也不是佛教給你定的，是你自己的因果所感的；你有這個因，一定會受這個果。

這個罪有各種類型，有些罪我們要從事實來看，造了這個錯誤，或是要殺人，心裡起念殺人，有種種條件組成，這個罪成立了。或者是你動了武器，但是沒有殺死，那麼這不是死罪，在法律上講的是這樣。但在佛教，你要是受了菩薩戒，起心動念殺人，就有殺業了，這個罪就成立了。菩薩見的是因，他不要成為事實，有這個因一定會感果，起了因了就要感果。

罪業說來很多，反正是起心動念，發之於身、口七支，乃至意念的貪、瞋、癡。在人間的法律，貪、瞋、癡不算罪，不治你什麼罪，但是你有了貪、瞋、癡，你一定發諸身、口七支，而這就是犯罪了。但是我們這個罪由哪兒來的呢？就是意念的貪、瞋、癡。如果你沒有觀照的功夫，沒有懺悔、慚愧的心，你是認識不到的，繼續想行方便，而有這個因一定會有業，這個因是由惑起的，我們把罪業說得非常的廣泛，因爲罪這樣廣泛，所受的苦果當然就多了。

所以地藏王菩薩說的地獄種種的名稱、種種的刑具、乃至種種的處所，處所的不同、刑具的不同，你受苦的方式也就不同，這就是受果。這果怎麼來的呢？找原因，就找到是你在做業；爲什麼要做業？因爲有惑，不明白。可是有些人糊里糊塗的就做業了。

有時我們認爲是冤枉的業，是法律制裁得不公，或者處理你這件事處理得不正確，這就冤枉了。不過在地獄裡沒有一件冤枉事，都是你自己做的，自己去感的果。乃至於獄卒、閻王爺，這些都是由你自己的業所變現的。說有，確實是有；說沒有，根本如夢如幻。當你沒業，沒有；有業，就有。

人間也如此，因爲過去有業，你現在的果就不同了。像我們每個人的生活享受都不一樣的。有窮、有富，有壽命長的、壽命短的，有聰明的、愚癡的，爲什麼呢？這是過去的業感到今生的果。但是能生到人間，畢竟你還是種了善業，不然不能生爲人身，而墮到餓鬼、地獄、畜生等三塗去了，你生爲人了，是善業多於惡業。要是你現在不能發揚善業，反過來造惡的話，地獄也好，餓鬼道也好，畜生道也好，你一定會感果的。

所以我們要認識這種因果相互的關係，要經常這樣觀想，這樣你就不會怨天尤人。不要想種種的方法害人、整人，你要是明白這個因果了，絕不會去害人。所以今生你被人家整，或者你到哪兒去了，被人家清算；或者經常是受害者，那麼現在你是受害者，過去你則是害人者，這是循環的。如果過去沒有害人，你會感善果的。

我們在《金剛經》上說，你今生被人家輕賤，被人家看不起，或罵你、侮辱你，你應當高高興興的接受，你想：「我過去的罪業就消滅了，再也不受了。」如果你要是心裡頭不平，中國有一句俗話，「狗急跳牆，人急造反」，而被逼得生存不下去了，又沒有因果律的觀念，就會鋌而走險，殺人放火，會造出更大的業了。要報復，什麼事都做，越造業，來生也就可知了。

我希望大家對這個罪，作深刻的觀想。罪就是業果成熟了，代表你做的事情不合理，不但不合你自己的性理，也不合人間的情理，所以你必須得受苦。

「千百夜叉及以惡鬼」，這是形容你受苦的環境。夜叉、惡鬼就像人間管理犯人的獄卒，但這是地獄，所以叫做惡鬼。他口裡的牙齒像劍那樣鋒利，這是形容那夜叉、惡鬼的形相很恐怖，眼睛像電光一樣的。你們有沒有走過森林？如果走過森林，你在夜間的時候，野獸的眼睛都是放出光的，特別是豹子、老虎，牠眼睛放著綠光，照得很遠。這裡所說的惡鬼跟夜叉，形相是很可怖畏的。我們的手指頭是皮、肉、血、骨頭，牠是銅的，形容很鋒利，然後拖拽著犯罪的人。

經上說的罪人是沒有形相的，不像人有肉體、有形相，那都是化身的，是變化的，不是有實體的。但是因爲業果的關係，他感覺到他是有體的，感覺被夜叉、惡鬼抓著，感覺到的是痛苦的，想逃避是逃避不了。這是一種形相，有的夜叉、惡鬼口牙像劍似的，眼裡頭放出電光，手像銅爪那樣，來抓這個罪人。

還有，夜叉執鐵戟。戟是一種兵器，是古來用的兵器，像槍，不是槍，槍頭上還帶著兩頭尖的利器，三國呂布用的就是戟。拿這個來往罪人身上戳，「中罪人身，或中口鼻」。射的時候不一定，或是中你身上的某一部份，或是戳到你口上，或是射到你鼻子上。或者戳到你肚子上，或者背上。射完了之後，他拿著你甩到空中去，翻個身又把你接回來了，把你扔在床上。前面說過遍滿獄中有床，這些都是受罪的刑具。

我剛才說的是沒有形相的，沒形相的該不苦了吧？是因爲他業果所感的，雖然沒有形相，他還是認爲有形相，也像在生的時候一樣的，神經系統受到苦痛的時候就感覺到痛苦。

因爲是化身的緣故，所以他受盡了苦必定會死，死了之後又活了，活了又死，死了又活，不得間息。這種刑具，這種苦處，還是很多，這是其中的一種。

「復有鐵鷹啗罪人目，復有鐵蛇絞罪人頸，百肢節內悉下長釘，拔舌耕犁，抽腸剉斬，烊銅灌口，熱鐵纏身。」

這些都是化現的，地獄裡頭哪裡會生出鐵的鷹？不是這樣的意思。鐵狗、鐵狼、鐵馬，什麼都有。有一種鐵鷹專吃罪人的眼睛。還有鐵蛇絞罪人頸，纏你的頸使你透不過氣來。有時候又感覺到你所有的肢節肢體之內，每一個部份都有釘子釘在你身上，「悉下長釘」。有的把舌頭拔出來，用那個像牛犁田似的，來犁你的舌頭。大家回去想，人的舌頭才多大？那會起變化的，還用牛來犁你的舌頭，你的舌頭就變成很大了，你必定感到痛苦了。或者把腸子抽出來，一節一節的斬，拿刀子剉。人在傷心的時候，愁腸寸斷，「腸子」是指這個意思。

以前有這麼一個故事，是勸戒殺放生的。有一個打獵的人，到山裡頭，打了一頭鹿子。這隻鹿子傷得實在不能走了，牠這個時候還餵小鹿奶，餵完了之後被獵人抓到了。獵人把這鹿子逮到之後，剝這鹿子的皮，剖腹後，看牠肚子裡頭，腸子是一寸一寸斷的。這是形容母親對自己的子女關心疼惜。

這也是形容說，你要是執著、放不下，雖然是意識的作用，但是你這個物質的身體也跟著起作用；雖然來地獄裡的是化身，但是你感覺到這種痛苦是加倍的痛苦，跟生前的痛苦是一樣的。

「烊銅灌口」，就是把銅燒化了。有時候這個「烊」字用個「火」字旁，有的是用三點水的「水」字旁，古寫都用「火」字旁。把那個銅燒化的銅水，有的是鐵水，不一定都是銅。用來灌罪人，罪人當然不願意喝，那獄卒拿著鉤子把你的口鉤開灌了下去。一灌下去，當然又死了，死了又化了，化了又灌。

或者燒熱鐵絲。我在監獄裡頭，沒有看見鐵絲。大家曉得，我們大陸上很多，往烤爐子加上炭，然後用鐵烙到罪人的背上，這個是有的。還有，大家看攪拌三合土的刑具，讓犯人跪到那上頭，這些可能是從地獄學來的。在文化大革命時期，這類的刑罰太多了，不需要再另外去看地獄了，人間就是地獄；但這不是普遍的，也不是經常的。爲什麼呢？業有則有，業無則無，地獄如是，人間也如是。

有些地區的衆生沒有這個共業，但是這個地區要是有這個共業就發現一種共業所受的果報。我們可以想想，地震壓死的那些人，壓得翻也翻不出來，那種痛苦，並不是當時就壓死，有的是還沒有壓死。還有被車撞傷的，我們看他當時沒有知覺了，但是他的思想還沒有死，那種痛苦是不得了的。

我們喝開水，如果喝得燙了一下子，都不得了！要是喝銅汁、鐵汁，那不是像吞火一樣？

這個刑罰當然是墮了地獄才看得到的，每個地獄不是修的，而是業感的。人間的監獄還要修建，地獄是閻王爺修的嗎？沒有！是業感所感成的。

「萬死千生，業感如是。」

「萬死千生」就是化生的意思，地獄受苦的這些罪人就是要萬死千生。被那烊銅一灌了就死了，死了又化了，化了又灌了，不停的灌，不停的死，不停的生，就是受苦。

「動經億劫，求出無期。」

要經過多長的時間來承受這個罪？「動經億劫」。這個「劫」當然是小劫，小劫一劫也不得了，小劫的時間好長？佛說人間壽命從十歲起，過一百年增一歲，過一百年增一歲，直增到八萬四千歲，增到最高點時，從八萬四千歲再減，過一百年減一歲，過一百年減一歲，再減到人壽十歲的時候。這麼一增一減，叫一劫。要經過這麼長的時間，「求出無期」！想脫離這個苦，沒有期限的。這都是自己的業果所感的。

「此界壞時，寄生他界。他界次壞，轉寄他方。他方壞時，輾轉相寄。此界成後，還復而來。」

成、住、壞、空，這個地獄也是要壞的，地獄也有成、住、壞、空，要是壞了怎麼辦呢？要是碰到他在這個受罪的時間，這個世界壞了，壞了不要緊，你的業自然就可以往他世界去，寄存到他世界去了。

我用一個現實的事來形容，像我在康定坐監獄，康定大地震，監獄在跑馬山底下，監獄被跑馬山壓了，這裡頭還有些沒死的犯人怎麼辦？也是轉到其他監獄去，從康定轉到雅安。那時候我就說過這麼一句話，我說：「這跟《地藏經》說的地獄差不多，這個地獄壞了，轉到他方地獄去了，轉到別的世界去了。」當時觸惱了獄方，他們要我講，我就講了；他們要我交代，我也交代了。我說：「我學的就是這個了，地獄也如是，人間地獄也如是。你看它壞了，把這些犯人由解放軍送走了，送到別的縣去了，等修好了又回來了。」

我們這個世界要是壞了，你這個是業感的，也不用收押，也不用獄卒押著，你自然就到那個地方去受罪了。多劫以後，這個娑婆世界又成好了，你的業還沒有完，還在地獄，你就回來了，再回到這個地獄來受苦，沒有出期。

什麼是「出期」呢？業盡、報盡，你所要感的果，時間到了，就盡了。完了以後從地獄出來，出來不能馬上生爲人，或者轉畜生，或者轉餓鬼道，比地獄好一些。等地獄、餓鬼道、畜生道受完了，再託生爲人。這裡託生爲人，或者是六根不全，或者是做奴隸，反正當了人類還是受苦的。受完苦了，他又造罪，越苦越造罪。大家想想看，他沒有辦法修佛了。那種苦逼來，他就越想辦法逃脫，越逃脫越逃脫不了，越逃脫不了越造罪，這是罪上加罪，完了又去受，受完了又出來，終無了期。

所以這個世界壞了，又寄生到他世界去了，他世界壞了，又往他世界去，就是輾轉相寄；總有你住的，總有你受的，總有那個地獄的苦處讓你承受，那就沒有語言不通的問題了。在美國死了，跟美國人一塊埋在這邊一塊兒去了，不會英語的，是不是跟鬼就沒法談話了？那是錯誤的，不是這樣，沒有語言隔閡了，沒有這個界限，通通是一樣的。

「無間罪報，其事如是。」

地藏王菩薩跟摩耶夫人說：「無間罪報，其事如是。」你要我跟你說一說無間罪報是什麼樣子，就是這個樣子，但是還沒有說完。

「又五事業感，故稱無間。」

還有五樣事情來形容無間地獄。爲什麼叫「無間」？就是不間斷的受苦。

「何等爲五？一者，日夜受罪，以至劫數，無時間絕，故稱無間。」

這是第一個不間斷，什麼不間斷呢？「時無間」，時間不間斷。住在這個無間地獄的衆生，你受苦的時候，沒有一念間是不苦的，相續不停，永遠的受苦。這個時間有多長？「日夜受罪，以至劫數」，前面說一劫。但不是每一個地獄的受苦者都是一劫，是根據你的業感而有多有少。

在人間，刑事案件有重罪、有輕罪，有判十年，有判十五年，有判二十年的。有的國家的刑期還有判一、兩百年的，不曉得要誰來受？你說這不符合事實，判一、兩百年的，這哪符合事實？可是這還是有。但是地獄可是符合事實，不只一、兩百年，是你自己判的，是你自己做的業。

這叫什麼無間呢？叫「時無間」。連一念間不受痛苦的時間都沒有，除非業滿了，不受了。那些債還完了，就不受了；沒有還完之前，受苦無間，在時間上是不間斷的。

「二者，一人亦滿，多人亦滿，故稱無間。」

第二種是「身形無間」。你一個人受罪看著地獄就是你，一千人受罪也是這樣，一萬個人受也是一樣，也是滿的。十萬人受它也是滿的，是「一人亦滿，多人亦滿，故稱無間」，這叫「身形無間」。這個身形是遍滿的，走在這個監獄就是你在受罪。

「三者，罪器叉棒，鷹蛇狼犬，碓磨鋸鑿，剉斫鑊湯，鐵網鐵繩，鐵驢鐵馬，生革絡首，熱鐵澆身，飢吞鐵丸，渴飲鐵汁，從年竟劫數那由他，苦處相連，更無間斷，故稱無間。」

第三種是「受苦無間」。這裡有種種的刑具，你受報的時候，有火、有被獸類咬、有被叉子叉、有炸入油鍋的，餓了吞鐵丸，渴了飲鐵汁，這個時候永遠長期受罪。

我最初聽《地藏經》，我感覺很苦惱，講這麼詳細做什麼？我又不要下地獄，也不想要分別地獄，我更不想到那裡去了解地獄。不過，這是要你知道這個苦，甚深的，嚴重的，防止你的心，千萬別造業。業造了，這個苦就如影隨形的，跟你身子的影子是一樣的，苦一定會來的；因爲你做的，你自己就要受，那種苦是相連沒有間斷的，這叫做「受苦無間」。

「四者，不問男子女人，羌胡夷狄，老幼貴賤，或龍或神，或天或鬼，罪行業感悉同受之，故稱無間。」

第四種是「果無間」，墮到地獄裡，都一樣的，沒有什麼分別了，也沒有什麼男人、女人。「羌、胡、夷、狄」就是種族的類別。同時，除了地獄本身不算，餓鬼完了還要下地獄，畜生完了也要下地獄，夜叉、天、龍、人都要下地獄。就是你自己做的罪所感的，這個報受完了，受那個報，那個報受完了又受另一個報。這也是無間的，叫做「果無間」，在果上沒有差別，沒有間斷。

「羌、胡、夷、狄」，譯經的時候是按照我們中國的少數民族地區來翻譯的，現在這些少數民族也不存在了。在地獄裡頭，一切的種族，一切的種姓，不管你是黑人、白人、黃人，不管是哪個國家的，你到那裡就一律劃上等號，都是一樣的。所以受苦是沒有間斷的，也不會因爲你是貴族就不受，也不會因爲你是賤民就非受不可；受苦的時候沒有間斷，是平等的。

「五者，若墮此獄，從初入時至百千劫，一日一夜萬死萬生，求一念間暫住不得，除非業盡方得受生，以此連綿，故稱無間。」

第五種是「命無間」，生命連續不間斷。要想活長壽一點，例如活一億劫，但是活長壽是不好受的，都想短一點，不想長壽。如果你住過監獄，你問監獄的犯人，他們對死毫不害怕，特別是重刑犯。大家都知道重刑犯就是罪大，或者無期，或者三十年，他想一想活著沒有什麼興趣了，想死死不了，就像業沒有塡滿。像墮到地獄的時候，你想一念間停苦，不可得；你想脫離，辦不到。爲什麼呢？我們業繫苦相，受業繫縛著，想脫離都脫離不了。要脫離，有一種是神通力，另外是業盡了，是業力。到這個時候，如果是你的善根發現了，你念一聲「南無佛」，問題解決了，或者你念一句大乘經典都可以。

有這麼一個公案，一個人到地獄受罪的時候，他就念「若人欲了知，三世一切佛」。本來是一偈，他只念了半偈，地獄馬上就沒有了，他的苦馬上就停下來了，半偈就生天了，就不受苦了。問題是到那個時候能不能還想起半偈呢？乃至三個字都可以，一聲「南無佛」都可以，地獄就空了。就怕到那個時候忘了，沒有了。當利益來了我們經常就「忘義」了，也就是「見利忘義」，想不起了。爲什麼想不起了呢？就是被業惑給迷住了。

要是做這個業，從他入獄的時間算起至百千劫，這個中間哪怕一日一夜都是萬死萬生，這個化生是不間斷的，命是無間斷的，死了又生，死了又生。想一念間暫住都不可能，除非業盡了，受生、轉化了，要轉化到哪一道就不一定了。在這裡連綿著不斷，相續不斷，所以就叫「命無間」。

「地藏菩薩白聖母言：無間地獄粗說如是，若廣說地獄罪器等名及諸苦事，一劫之中求說不盡。」

這是地藏菩薩對摩耶夫人大概粗淺的說一說地獄，要是詳細說，一劫也說不完。那些刑具那些器具、受苦的情況，都是不一定的。

「摩耶夫人聞已，愁憂合掌，頂禮而退。」

摩耶夫人愁憂什麼呢？她是愁憂衆生的這個苦難什麼時候可以結束。有什麼善巧方便能救衆生的苦難呢？這就要觀衆生的業緣，你有什麼業緣就促成你下到什麼地獄，就有什麼的業果；你沒有起這種業，外面沒有這種緣，就成不了了，你想去也去不到。

閻浮衆生業感品　第四

第四品就是「閻浮衆生業感品」，說明這個地獄的苦果是怎麼來的，「業感」兩個字，就是你做業所感應、感召的果。

「爾時地藏菩薩摩訶薩白佛言：世尊！我承佛如來威神力故，遍百千萬億世界，分是身形，救拔一切業報衆生。若非如來大慈力故，即不能作如是變化。」

以下就說明閻浮衆生的業感。做業，我們大家都知道了；感果，我們要是講深一點，因果不失。

現在我們修空觀，很多人都念《金剛經》或者念《心經》，《心經》最平常了，很普遍的。「色不異空，空不異色，色即是空，空即是色」，地獄是不是屬於色法？如果你空了，那麼「對境本空唯心造」，是你心造的。心要是沒有了？還有什麼！沒有體了，無所依了，就是這樣子。

聽了《地藏經》，你要跟《金剛經》合起來思惟。這個有也是不可思議的有，衆生的心，衆生造的業，是不可思議的。現在我們才五、六十個人，如果把這五、六十個人總合起來，我們這個心用多少張紙也寫不完。我們一個人累積幾十年，心裡所想的，內心所做的，做的已經成業了，還有心裡所想的發諸於身、口七支，這是有的。這個有的東西，依著什麼而有？我們從生下來，有了，死了之後，沒有了，斷了嗎？怎麼來的呢？從什麼地方來的？死了，去了，去到什麼地方？不一定都下地獄吧！地獄本來沒有的，也是你自己的業力所幻現的。如果你這樣修觀，經常思惟，你就不會造業了，苦果也就沒有了。

但是現在不是這樣，假如我們有造業，這個果就一定得感。爲什麼要造業？當你做一樁事，或想做一件事情，你得問一問爲什麼要做這件事？當你做這件事，並不一定掌握得住目的、後果。

例如說，想經營商業，經營商業的目的是想發財，想多賺幾個錢，你能掙得到嗎？你有把握嗎？在果上，你能有百分之百的掌握，一做就賺錢？我看不可能吧！好多做的業，在果上，你是掌握不住的。

當你聽了這部經，稱了聖號，你相信嗎？信將來這個果是這樣子的？信不信？或者是一時的殊勝感，覺得菩薩說的、佛說的我哪能不信呢？一定不信！

「我今又蒙佛付囑：『至阿逸多成佛已來，六道眾生遣令度脫。』唯然，世尊！願不有慮！爾時，佛告地藏菩薩：『一切眾生未解脫者，性識無定，惡習結業，善習結果，爲善爲惡逐境而生，輪轉五道暫無休息，動經塵劫迷惑障難；如魚游網，將是長流脫入暫出，又復遭網。以是等輩，吾當憂念，汝既畢是往願，累劫重誓廣度罪輩，吾復何慮？」

佛跟地藏王菩薩的對話當中，地藏王菩薩就說：「世尊不要憂慮了，我一定把在佛法之中有一毛一渧一沙一塵這麼一點點功德的衆生度脫了。」佛就對他說：「這是你自己的願。」我們前面說了，地藏王菩薩在最初因地的時候發了度盡衆生的願，不是一次、兩次，而是累劫發了這個願。發什麼願呢？「廣度罪輩」，把一切有罪的人，做了墮地獄因果的人，都度了。「從你往昔願故，我就不再憂慮了。」

從這個對話當中，我們體會到，這是完全就事上來說的，不是說理。就事來說，因爲你所做業的因果是不亡的，你做什麼業就受什麼果。釋迦牟尼佛囑託地藏王菩薩度衆生的時候，還是要衆生自己度自己，只能顯示一種方法。持咒，或者持佛的聖號，或者拜懺、讀誦大乘，你要去做才能得脫。同時要仰仗地藏王菩薩的慈悲加持力，以種種方便的方法，讓你脫離這個苦難。所以佛對地藏王菩薩說：「我已經沒有憂慮了，我知道你過去發了很多的願是要度盡衆生的。我就是不囑累你，你也是要度衆生，從你往昔的願故；不過你再增加你的力量，囑託你。」涵義是這樣子的。

「說是語時，會中有一菩薩摩訶薩，名定自在王。」

就在佛跟地藏王菩薩說話的時候，忉利天的法會當中，有一位菩薩摩訶薩，叫「定自在王」。

「白佛言：世尊！地藏菩薩累劫以來各發何願，今蒙世尊慇懃讚歎，唯願世尊略而說之。」

這有兩種原因。一個原因是前面在讚歎地藏王菩薩功德的時候，定自在王菩薩還沒有來。另一種原因，定自在王對前面所說的功德，覺得還沒有圓滿，所以他又請示一下。他說：「究竟地藏王菩薩在過去劫當中，他都發了什麼願？」因爲前面有句話，世尊說累劫重誓是地藏王菩薩發的願，說：「過去發了許多的願，發了很多的誓，要把一切有罪衆生度盡。」定自在王菩薩是根據佛所教授的語言來請問，說：「現在世尊一再的讚揚、讚歎地藏王菩薩的功德，我希望世尊再說一說。」是略說，不是廣說。「略」的意思，就是定自在王菩薩了解地藏王菩薩的功德很多，那麼希望佛能扼要的說一說，使與會的大衆生起欣樂心。

在〈閻浮衆生業感品〉當中，發起因緣的是地藏王菩薩。每一品都有一個發起的因緣，這是第四品。第一品是佛放光。這一品告訴我們，修行的方法就是發願。發願的業是善業，這種業能夠感招善果，脫離地獄，脫離三塗。衆生的罪業很多，因此感招地獄的苦果。這一品，因爲有願，有感招的苦果，也有感招的善果，就看你的發願、誓願如何，這就是這一品的要義。

所以我們要修行，就要發願，看見什麼境界相就發什麼願。地藏王菩薩看見衆生苦、地獄苦，我們看到人間的求不得苦、現在種種的災害苦，不管是在報紙上看見或是在什麼地方聽到，就發願利益衆生，同時把聞法的功德、皈依三寶的功德，乃至於自己持誦大乘稱揚聖號的功德，迴向給他們，使他們免難。

「爾時世尊告定自在王菩薩，諦聽諦聽，善思念之，吾當爲汝分別解說。」

佛就答應定自在王菩薩，說地藏王菩薩過去累劫所發的願。這個當機衆是定自在王菩薩。「定」大家都知道了，就是「三昧」，也可以說是「思惟修」。也就是說人要有定力，不要太浮躁了，太浮躁了，你什麼也得不到。你必須要沈靜的思惟、觀察，就是修觀、修行的意思，也就是思惟修。因爲你修才能得到自在。

「王」本身也是「自在」意；有了定的功夫你就自在了，就像王一樣，有權有財勢。這位菩薩一定是由三摩地而證得的解脫，是由定修的入門而得解脫。觀世音菩薩是因爲得到耳根圓通，而得到自在解脫，定自在王菩薩是以定，而得到自在解脫。

所以佛就囑咐他了：「你請問的，我可以給你說，但是你必須諦聽諦聽。」每一品都有對請問的說「諦聽諦聽」，只要佛對他的弟子開示的時候都囑咐他諦聽。「諦聽」是說你不要盡在色相上琢磨，你得如理的觀察，「諦」就是「實」的意思，叫「諦實」。換句話說，不要隨音聲轉，而要符合實相義，這個實相義很深。只要是聞法的都是色，必須跟我們自己的自性相結合。我們要是修這種觀的話，能夠得到體，才能夠不在色相上執著。聞法要會聞，必須要如實聞，如理觀察，所以要「諦聽諦聽」。

「善思念之」，聽是聞慧，聞慧必須加上思，思是觀照的意思。聽了這個話了，你就思惟想一下，用到世間上去，不論什麼人跟你說什麼，你要冷靜的聽聽人家說話的意思是什麼，要觀察它的原因、目的、所指，這屬於聞慧。經過反覆的思惟之後，你就要去做。佛教導給我們的法門很多，有哪一個法門對你相應呢？你就要「諦聽諦聽」。聽過了之後你就要觀，要如實的觀察，所以叫「諦觀諦觀」。如實的觀察之後，你要如實的修，也就是「諦修諦修」。好比聽了任何的事情、任何的話，你用你的思想觀察一下子：「他說這話的目的何在？」這樣你就知道怎麼去處理這個問題了。

「諦聽諦聽，善思念之，吾當爲汝分別解說，」也就是囑咐他：「你可以諦觀諦觀地藏王菩薩的功德，你要是想知道地藏王菩薩是怎麼樣發的願，是怎麼度衆生的，我再詳細的跟你說。」

「乃往過去無量阿僧祇那由他不可說劫，爾時有佛，號一切智成就如來、應供、正遍知、明行足、善逝、世間解、無上士、調御丈夫、天人師、佛、世尊。」

在「過去無量阿僧祇那由他劫」的時候，是什麼時候呢？「阿僧祇」翻「無量數」，無量數就是沒有數字可以說的。把「無量數」再加上「那由他」那麼多數字，重重疊疊的，顯示時間很長，也就是說地藏王菩薩發願的時間很長很長。

在很久遠很久遠的時候，那個時候有佛出世，號「一切智成就如來」。「一切智」就是佛所證得的智慧光明，是究竟成就的智慧，就是阿耨多羅三藐三菩提的意思，就是無上正等正覺，眞正的智慧。

以下是佛的十號。「一切智成就」是別名，就像「釋迦牟尼」、「阿彌陀」、「藥師琉璃光」，這都是別號；以下的「如來、應供、正遍知、明行足、善逝、世間解、無上士、調御丈夫、天人師、佛、世尊」，這是通號，一成了佛果了，都具足這十號。這十號是經常講的，不過我們再把它重覆一下子。

「如來」的「如」是不動的意思，不動怎麼又會來了呢？就是沒有來，來即無來。「如」者是體，就像我們講《大方廣佛華嚴經》的「大」是體。此處「如」字的體，包括了一切衆生，我們跟佛無二無別，就是「如」。所不同的是「來」，我們的「來」是業來；佛的「來」是功德來，是爲利益衆生來，是願來，由於他的願，要自願度衆生的，他證得體之後要利益衆生。所以這就是大用，這個「用」裡頭含有從體而起的相、用，這個涵義在哪部大乘經典都是這個意思，像「大方廣」就是體、相、用。

「如來」的意思，不論是大乘、小乘的精神都是一樣的，小乘也如是解釋。「如」者就是寂滅的般若，證得般若一切智了，它的智慧光明，如體上而起的妙用。我們衆生雖然也有這個體，但我們的體已經迷了，沒有這個智慧了。

所以我們的「來」不是乘願的，而是業報感來的；我們的「來」不是乘體而來的，是迷體而來的。對於「如來」解釋，各家的解釋很多了，怎麼解釋都可以。你要是能得到這個「體」，你就能夠「於一毫端現寶王刹，一微塵裡轉大法輪」，一個毫毛尖上就收攝十方世界，就是把體變爲妙用，這就是如來的涵義。

「應供」，「供」是誰供呢？天、人—天道、人道。阿羅漢也叫「應供」，但是跟佛的「應供」不同，因爲他不是究竟的。出家的比丘，有居士或在家的信徒請你吃飯受齋，也都叫「應供」。佛是示現比丘相，「應供」就是接受衆生的供養，給衆生消災。

「正遍知」，「遍」者普遍的意思，所有法界一切事物都能知。我們在《金剛經》上說：「如微塵、如恆河沙數那樣的衆生，他們所有的心—過去心、現在心、未來心，我都能夠知道。」「遍」的意思，是指一切衆生的心，也知道菩薩、聲聞、緣覺，所有九法界衆生心裡所要做的事情乃至他們的業果，佛都是清清楚楚的。「正」的意思，就是「無上正等正覺」的那個「正」，是正覺，能夠遍一切都知道的意思。「正遍知」就是無遺餘的意思。

「明行足」，「明」，一般小乘是指三明；在大乘，「明」者就是智慧，「明」就是照了的意思。就像《心經》上「觀自在菩薩行深般若波羅蜜多」，「般若波羅蜜」就是「明」，就是「照」，用智明照了。「行」就是他所有利益衆生的事業，「足」是滿足了，圓滿成就，自利、利他都圓滿了。

「善逝」是指佛去的時候，跟「如來」是相對的，「善逝」就是「涅槃」。佛走的時候也是如理而走的，叫「善逝」，佛的涅槃也就是沒有涅槃。「善逝」、「世間解」，這兩個是相對的。

「世間解」就是世、出世間法，廣說是世間法，就是不失一切衆生機，能夠滿足衆生機的願而說一切法。就像佛在世的時候，他示現的是人類，是以人類而成佛的，那麼在人類就有人類的一切世間法；如五明菩薩一切皆明，所以叫做「世間解」。在世間一切法上，佛全是解脫的，沒有一法不知的，而不著一切法。

「無上士」，在人法界、天法界，沒有人再比他更高貴的。

「調御丈夫」，「調御」就是調御衆生的意思。就像現在我們掌著方向盤調御汽車似的，或是駕馬的、調象的，但是這裡是指駕馭一切衆生，這是大丈夫的事業。

「天人師」，給天給人做師，「師」者就是我們的先生，教導我們做一切事的。

「佛」，就是智者、覺者的意思。

「世尊」，印度話叫做「薄伽梵」，是三世所尊重的。這個名詞，有六種尊重，所以稱爲「世尊」。這六種尊重，大家如果想學，查一查詞典就知道了。

「其佛壽命六萬劫。未出家時爲小國王，與一鄰國王爲友，同行十善，饒益眾生。」

這是無量劫以前的事，「一切智成就如來」未成佛以前，在他還沒有出家的時候，是一位小國的國王；像現在我們地球上分成好多個國家的一個國王。跟他相鄰的國家也有一位國工，他們兩人做了朋友。兩個國家共同的行十善業，教育他們的國民不貪、不瞋、不癡、不殺、不盜、不淫、不妄言、不兩舌、不惡口、不綺語—這就是十善業，以這十善業來做爲他們的國策，國家裡的所有國民都要遵守的。

「其鄰國内所有人民，多造衆惡。二王議計，廣設方便。」

一切智成就如來擔任小國的國王，地藏王菩薩那時候也擔任一個小國的國王，兩人是很好的朋友，兩人訂下要以十善業做爲兩國的法律。鄰國國王所教化的人民則造了很多的惡業，也就是不按他們的法律規章去做。這種情形我們可以理解，就像我們現在當前的世界，儘管訂好多的法律，但是只要把報紙一打開，每天都有槍殺案。如果看看台灣、看看大陸、看看全世界，那太多了。衆生造的業是很不容易教化過來的。

這兩位國王共同商量：「我們得用什麼方便來教化呢？」「廣設方便」，就是想種種的方便法子來教育人民。

要怎麼樣能夠使這一切世界的罪消除，不造罪業呢？要用疏導的方法，讓他心裡明白，單用強制性的方法是行不通的。所以得廣設方便，就是你得動腦筋。我們大家都明瞭，如果那個水流，我們用泥土或什麼工具來堵都不好，最好是把它疏導，讓它流到湖裡去，從湖裡再流到海裡去，使它不至於爲害，所以最好的方法是疏導。換句話說，就是多給他種種的方便。《地藏經》就是方便，所說的那些地獄，就是要你別造業，要你生起恐怖感，這也是一種方便。

「一王發願，早成佛道，當度是輩，令使無餘。一王發願，若不先度罪苦，令是安樂，得至菩提，我終未願成佛。」

這兩個王，各人的思想不同，也就是說願力不同。一個國王發願說：「我要成佛，成了佛我才能度眾生。」這就是一切智王發的願。

地藏王發的願，他說：「不！如果衆生沒有度盡的話，我絕不成佛。」從這個發願，我們知道，佛也好、菩薩也好，永遠度衆生的，你將來也如此。所以你從凡夫地就發心要度衆生，因你這個發心，有這個願力，你得道了，一直到成了佛，你還是度衆生的；你的任務、職業就是度衆生。雖然發願不同，還是殊途同歸的。這裡是彰顯地藏王菩薩的願力之大、願力之深，與一切菩薩、諸佛都不同。所以讚歎地藏王菩薩的功德，意義就在這裡。

這兩種願力、兩種情況，爾後產生的效果就是兩種事實了。由於過去宿世的因緣，或者像定自在王讚歎地藏王菩薩：「你看！地藏王菩薩的願力大不大？」但如果地藏王菩薩那時候發願成佛，他當然也是跟一切智如來一起成就了。

「佛告定自在王菩薩：一王發願早成佛者，即一切智成就如來是。一王發願永度罪苦眾生，未願成佛者，即地藏菩薩是。」

定自在王菩薩不是請佛讚歎地藏王菩薩的功德嗎？說一說他往昔都發了什麼願？這就是他發的願。這個願就是後來總結說的「地獄不空，誓不成佛」。「眾生不盡，誓不成佛」，還不僅僅是地獄不空；就是地獄空了，眾生界還有眾生，他也不成佛。不僅僅是這一世的願，而是累劫的誓願。

「復於過去無量阿僧祇劫，有佛出世，名清淨蓮華目如來，其佛壽命四十劫。」

「復於過去」，在這個之前，「無量阿僧祇劫」，也就是不可計數的時間。「有佛出世」，這位佛叫做「清淨蓮花目如來」，這位佛的壽命是四十大劫。前面的一切智成就如來的壽命是六萬劫，這位清淨蓮華目如來的壽命是四十劫。

「清淨」是無垢染的意思，到什麼時候才無垢染呢？到成佛的時候才無有垢染。我們聽人說：「這個人的面目很惡，從他的眼睛就可以看出來很兇。」很兇就是不清淨，有瞋恨心；或者過去沒有，現在有瞋恨心。你看他慈眉善目的，總是一個慈悲相，那麼他的眼神就是慈悲，總是慈悲攝受眾生，就是清淨的意思。但是在眾生界度眾生而示現的就像蓮花似的，在污泥而不染。這是比方，清淨得像什麼樣子呢？就像蓮花那樣；蓮花在污泥而不染，就是在度眾生的時候，他是清淨的。這裡是說他的眼睛如清淨的蓮花，目無垢染，是慈悲的意思，每個人看了都很喜歡。這位佛出世住世是四十劫。

「像法之中，有一羅漢，福度眾生。」

「像法」就是四十劫已經過去了。依我們看四十劫很長，但是他住世時間也跟我們的百年差不多，「時無定體」。佛涅槃之後，並不是正法的時候，而是到了像法。這時候「有一羅漢」，「羅漢」就是證得了阿羅漢果，翻作「無生」，也翻作「殺賊」；就是證得阿羅漢果，把煩惱賊都殺盡了；無生，就是他證得了，了了人我執，證得了清淨的涅槃，這個涅槃不是究竟的涅槃，是有餘的涅槃。

「福度眾生」，「福」就是行善業，給眾生福田。凡是比丘都叫「福田僧」，在佛是「應供」，在羅漢也是「應供」。羅漢也證了果，所證的雖然不究竟，但這是以大乘來說；在小乘的教義，證了阿羅漢果，他就成道了，就究竟成就了，不會在三界裡輪轉受生死了。羅漢都是給眾生種福的，遭著他的乞食，誰布施他飲食，誰就得福。

不只是阿羅漢，凡是僧人都叫「福田僧」。我們披的這件衣服，一塊一塊的，就像田地似的，這個地是種福的，不是種高粱、穀子的，誰要在這塊地上下了種子，你的福就種下了。如果知道哪位和尚不好，雖然和尚不好，但是他披的衣服是好的。你種福田僧，不要起分別心，不管他有沒有成道，你把他做爲佛想，那你就種了佛的福；你要是把他觀成是阿羅漢想，那你種的福就是阿羅漢的福田；你要是覺得這位和尚不好，你什麼福都沒有了，反而種了不好的福田，同時你還犯了一個謗僧的罪。

莫起分別心！這個很要緊的。衆生若能供養阿羅漢，福德特別大，來生也不受窮了，也不害病了，一切都吉祥；而且因你供養一個阿羅漢，你將來也一定能夠成道，這就是因緣，你有這個因，將來一定得這個果的。

「因次教化，遇一女人字曰光目，設食供養。」

羅漢托鉢乞食就叫「教化」，他托鉢乞食的時候是沿門乞討，這跟叫化子不同，叫化子沿門乞討是要飯來餵飽肚子，羅漢並不是如此的，他有另一個涵義是要度衆生的。羅漢要是入定，他一年不吃也沒有關係；但是他要是示現在人間，他必須得度衆生，讓衆生得福，再不受苦，再不受窮。誰也不願意受窮，沒有錢用多苦啊！但是你要種點福，你不積福，福要哪兒來？

「因次教化」，乞食有規矩的，不許嫌貧愛富，不許挑富貴家去乞求，對你所教化的村落你必須挨著一家一家乞，在哪一家得到了，你就不能再乞，就要回去了。我們和尚的那個飯碗—缽，叫「缽多羅」，翻做「應量器」，你知道你的肚子有多大，你就求多少，求多了你吃不了，倒掉是不行的；少了，你晚上就肚子餓，佛在世的時候都是日中一食的。

他行乞食教化的時候，就遇到一個女人，這個女人的名字就叫「光目」，「設食供養」。這有兩種解釋，有的在家裡做好飯了，在印度一般是這個規矩，但必須是佛教徒，不是佛教徒，他不會做的。佛教徒一定等師父來乞食過了，他們才吃飯。飯菜做好了等著，當然這段時間都是一定的，知道師父什麼時候會來。一般的家庭當中，有女兒的，有兒子的，一般都是子女出去供養，表示清淨的意思；如果沒有子女，就由主婦出去供養，一定要跪著，把供養的飯菜倒在缽裡頭。如果夠了，這位師父就不到第二家去了；如果不夠，再挨家走。

有的供養不是捨不得，想到：「這是福田，讓大家都種點福田，我就給這麼一份。」完了，師父又走到第二家；一直到量夠了，應供了，就回去了。

有的是這樣子，好比師父來了，今天我們家有什麼吉祥事情，或是有什麼不如意的事情，想求師父加被，就設食供養，就是請師父進到他家裡頭設食供養，師父吃完了要念迴向，就是問他所求，問：「施主！你今天供養，請我到裡面來吃，一定有事情。你有什麼求？」一定要問一問。

「羅漢問之：欲願何等？光目答言：我以母亡之日，資福救拔，未知我母生處何趣。」

這個普度眾生的阿羅漢，就問光目：「妳今天供養我，想求什麼願？」這光目女要使她母親得生善地，不墮三塗。她說：「我母親死亡的時候，我想救拔她、資助她，或者用我的錢，或者用她的遺物，用我們家庭的物資布施供養，希望消災免難。但是我不知道我這樣做，她有沒有得到好處？她到哪一道去了？」她供養阿羅漢就是這個目的。

「羅漢愍之，為入定觀，見光目女母墮在惡趣，受極大苦。」

羅漢不入定跟我們凡夫一樣的。她求了羅漢，羅漢就修法入定觀察，看到她媽媽在惡趣受苦。這個「惡趣」是指地獄，不是畜生，也不是餓鬼道。

「羅漢問光目言：汝母在生作何行業，今在惡趣受極大苦。」

羅漢就問她：「妳母親化生的地方並不好，妳母親生前都做些什麼事情？」「作何行業」，是做些什麼事業，乃至包括她的生活、工作、為人。就說她現在是受了報了，一定是她生前做得不好，所以「今在惡趣受極大苦」。「極大苦」當然是指地獄說的。

「光目答言：我母所習，唯好食噉魚鼈之屬。所食魚鼈，多食其子。」

光目說：「我媽媽在世的時候貪口味。」「食」、「噉」都是吃的意思。

「魚鼈之屬」，淨吃魚類的。而且「多食其子」，專炒魚肚子裡面的子吃。還有，像有人愛把小魚油酥了。不論大小，每一個都是一個生命。這點西藏人做得很對，西藏人不吃魚，不吃雞，不吃小動物。吃魚子的，你想那一盤魚子要炒好多魚吧！魚子都會變魚的。我只是聽人家說，我沒有吃過，也沒有看過，我很土，但也很少造業。還有蝦，還有那個小魚。我在天津看到他們吃蚱蜢炒麻子—很小的小蟲子，炒那一盤要好多小蟲子，沒有辦法數的！

「或炒或煮，恣情食噉。」

多數是炒是煮的，因爲這樣才有味道。

「計其命數，千萬復倍。」

「吃了好多，我也數不清了。反正要算她的命債，那太多了。」「千萬復倍」，比千萬還多。

「尊者慈愍，如何哀救？」

「我供養你的目的，就是想請你救我媽媽，你大慈大悲，憐憫我媽媽受苦，你救我媽媽吧！」這樣要求他，請求他救。

吃魚的人，或者是吃葷的人，並沒有感覺到這是罪，因爲在人間的法律上，不論哪一國的法律，不管是吃魚、吃羊、吃雞，有什麼罪？沒有這樣的說法。但是在我們，講的是因果，必定要受報的，這是肯定的。這一類的感應太多了。豐子愷畫有《護生記》，我們這裡也有，弘一法師給他題的詞：「聞其聲不忍食其肉」，那個魚擱在板子上刮鱗的時候，那個魚還是在跳的，牠一樣的有痛苦。光目女在這個地方，爲了救她媽媽，她就發願了，這個羅漢是無盡意菩薩的前生，我們念〈普門品〉就有無盡意菩薩。

「羅漢愍之，爲作方便，勸光目言：汝可志誠念清淨蓮華目如來，兼塑畫形像，存亡獲報。」

羅漢爲她做方便，「勸光目言」，說：「我的道力還是不行，還不能夠幫妳把媽媽從地獄救拔出來。但是我可以告訴妳一種方法，妳去做。妳要懇切的念清淨蓮華目如來，同時妳還要塑畫佛像，或者是用畫，或者用泥或木頭雕，都可以。妳如果再供佛，再請佛像，妳可以得福報，死人也可以得到脫難，再不受三塗之苦了。」就告訴她這麼一個法門。

假使我們現在請了一尊地藏像，我們也這樣求，要知道我們的媽媽到那兒去，靈不靈呢？那要看你誠不誠心？至誠了，絕對靈。她求清淨蓮華目如來，你可以求釋迦牟尼佛，也可以求阿彌陀佛，乃至我們這個娑婆世界的文殊、彌勒、觀音、地藏，都會靈的，就看你誠不誠心。我們的道友之中，有很多人是得到感應的。

「光目聞已即捨所愛，尋畫佛像而供養之，復恭敬心，悲泣瞻禮。」

光目孝女聽到這個方法，她就照著做了。把她自己所最珍惜的，或者是寶物、財產，換成錢，拿去塑畫佛像，然後供養。再以至誠心、恭敬心「悲泣瞻禮」，就是禮拜。不是說你一定要痛哭流涕，你心誠就行了，而是是至誠的懇請乞求。這一求，得到感應了。

「忽於夜後，夢見佛身金色晃耀，如須彌山，放大光明。而告光目：汝母不久當生汝家，纔覺飢寒，即當言說。」

因爲她求了，感應到清淨蓮華目如來現身了。她夢中見佛的光明非常殊勝，佛就對她說：「汝母不久當生汝家。」脫了地獄苦了，到妳家來了。「纔覺飢寒」，就是剛一懂事，一知道要吃東西做是「飢」，一知道冷就是「寒」。他一懂得飢寒了，就會說話。

「其後家內婢生一子，未滿三日而乃言說。稽首悲泣，告於光目，生死業緣，果報自受！」

醒了之後，她家裡頭的佣人生了一個小孩子，還不到三天就能說話了，一邊說話，一邊磕頭，「告於光目」，說：「生死業緣，果報自受。」這個果報因緣受苦受難，是自作自受，生造什麼業，死就受什麼果；業是因，緣是助成的，促使你受死的痛苦。「果報自受」，自己做的業自己受。

「吾是汝母，久處暗冥。自別汝來，累墮大地獄。蒙汝福力，方得受生。」

我是妳的媽媽，自別了妳之後，一直在黑暗不見光明的地獄裡頭受苦。因爲妳祈禱的福，使我又能夠轉化爲人了。

「爲下賤人，又復短命。壽年十三，更落惡道。汝有何計，令吾脫免？」

我原來是這個家的主人，但是現在生下來變成這家僕人的孩子，壽命又不長，壽年十三，更落惡道。妳還有什麼辦法，使我能夠脫離免再墮惡道的苦難？

從《地藏經》這一段經文，我們可以體會到，她女兒求佛，雖然使她免難了，但不是徹底的。她生到這家，從地獄苦中又得爲人，但是當個下賤人，而且壽命很短，十三歲就會死；死了之後，還要墮惡道，還要受罪。那就是說，我們給親人做佛事，或者一個七、兩個七，或者是臨時的加持，他能脫離苦難，但這不是究竟。爲什麼要做七七四十九天？爲什麼我們要經常念經，經常的給六親眷屬、冤親債主迴向？爲什麼佛教寺廟的塔院，初一、十五都要去念念經？就是希望不論他生到哪一道，都可以增加他的福慧，減少他的痛苦。

在過去我們中國人都有這麼一個傳統，經常的懷念祖先，經常給他們祈禱。我們家裡不是都有祖先牌位嗎？現在是沒有了，所以現在的苦難更加厲害，因爲連這個都不信了。爲什麼有祖先？我們中國人說「敬神如神在」，不管他投生哪道去，我們恭敬他，乃至於給他作功德，他會收到而得到好處的。燒紙錢是沒有用的，乃至於紙做的各種用具也是沒有用的。我看大陸上做佛事，紮紙洋樓，乃至汽車，還紮些佣人，是沒有用的！

「光目聞説，知母無疑，哽咽悲啼而白婢子：既是我母，合知本罪，作何行業，墮於惡道？」

光目一聽，知道這是她媽媽再世了，她沒有什麼可疑惑的了。她就問她：「妳知不知道妳做了什麼事，妳的行爲是造了什麼業，才使妳墮入惡道？」

「婢子答言：以殺害、毀罵二業受報。若非蒙福救拔吾難，以是業故未合解脱。」

除了殺害之外，又有毀罵罪，因爲這兩種業受了報了。「要不是妳給我祈求，供了清淨蓮華目如來，我現在還不能脫苦。因爲以我這樣的業，我是解脱不了的。」

「光目問言：地獄罪報其事云何？」

妳在地獄受苦，可不可以說一說地獄罪報是什麼情況？

「婢子答言：罪苦之事不忍稱說，百千歲中卒白難竟。」

她說：「我忍不下心再去說那些罪苦的事情，我不願意形容地獄苦的事情，妳要讓我說，百千歲我都說不完啊！而我在人間才只有十三歲。」

「光目聞已，啼淚號泣而白空界：願我之母永脫地獄，畢十三歲，更無重罪，及歷惡道！」

這裡光目女並沒有對著誰說，而是對空界說的。像我們在佛堂，要想求個什麼，發什麼願，在佛堂裡說就可以了。「啼淚號泣」，很痛苦很悲哀。而白空界：「我現在發願，替我母親求，希望她永遠脫離地獄，再不受地獄苦。在她十三歲，人間的報受圓滿了，再也沒有罪了，再也不到惡道輪迴去了。我發願替她消罪。」這個願是光目爲她母親，只有這個願就太小了，以下她要發的才是大願。

「十方諸佛慈哀愍我，聽我爲母所發廣大誓願。若得我母永離三塗及斯下賤，乃至女人之身，永劫不受者。」

對空中說，是向十方諸佛說的。「十方諸佛」是指普遍的意思，不只清淨蓮華目如來一佛，而是十方的諸佛。「慈悲憐憫我，聽許我給我母親發願。假使我母親，從十三歲報滿之後，再不受三塗了，永不爲下賤及女人之身，能夠永遠的再不受這些罪業。」

「願我自今日後，對清淨蓮華目如來像前，卻後百千萬億劫中，應有世界，所有地獄及三惡道諸罪苦眾生，誓願救拔，令離地獄惡趣，畜生、餓鬼等。」

我願意度一切的眾生，不論未來百千萬億劫中，所有的這些世界國度之中，所有的地獄，乃至於在三惡道受苦的一切衆生，我誓願把他們都救出來，令他們離開地獄惡趣、畜生惡趣、餓鬼惡趣。

「如是罪報等人，盡成佛竟，我然後方成正覺。」

這是「衆生度盡，方證菩提」。衆生沒有度盡，我就不成佛。在久遠劫來，就發如是大願。這個願，我們每天做功課的時候都會念：「衆生無邊誓願度，煩惱無邊誓願斷，法門無量誓願學，佛道無上誓願成」，一個是度衆生，一個是成佛，每個人都會念，念到成了口頭禪，效果就不大了，必須動心！怎麼樣叫「動心」呢？就像你碰到危難了，在最危險的時候，那時候想起三寶來了，想起佛來了，所發的願。

我們都發過這個願，因爲大家做早晚課時都會發，天天發，效果呢？這就是發心的誠意，乃至於發心的願力，是不是精誠？是不是從自己的心發出來的？在念佛，知道念念從心起，念念不離心；發願也是，要念念從心裡發願，你這個願永遠不要離開你的思念當中，隨時觀想這個願，這樣效果就大了。

我們雖然不能夠發那麼大願，但是我們天天這樣的隨著發願，將來也一定能滿願的。但是從現在就得這樣做，不要等到將來才去做，將來我們就不知道了。

「此身不向今生度，更待何生度此身」，今生你等著，沒有什麼可以等的。你一天多念一遍《地藏經》，多念千聲聖號，你就積累了。這就是地藏王菩薩所發的大願。定自在王不是問佛，說佛這樣讚歎地藏王菩薩，地藏王菩薩發何種願？佛就跟他說了：「發度盡眾生的願，『一切罪眾都成佛了，然後方成正覺。』」

從前有一個道友，我們兩人都住在上房（方）山。他住在地藏殿，我住在一斗泉（就是那個洞的名字），他來看我的時候，我跟他說：「你一天都在拜地藏王菩薩，這災你消得多了，我就不行了。」他說：「我成佛一定成在地藏王菩薩前頭，你成佛也一定成在地藏王菩薩前頭。」我說：「你怎麼知道？誰給我們授的記？」他說是釋迦牟尼佛。我說：「釋迦牟尼佛什麼時候說的？」他說：「《地藏經》裡地藏王菩薩說的，一切罪報衆生都成了佛了，他才成佛的，我們兩個不都是成佛成在地藏王菩薩前頭去了。」我說：「這樣我可不敢承擔，那還得看修行。地藏王菩薩度衆生，無生可度，看到的都是空的，他不著相了。我們現在一著相，早超過他度的範圍了。」他說：「不！你沒有這個信心，我有絕對的信心，你成佛一定成在他前頭。還不只成在他前頭，我在普賢殿也住過，我也成在普賢菩薩前頭；因爲普賢菩薩永遠要當菩薩，他的十大願不容易滿啊！」我說：「好吧！四大菩薩永遠都不成佛，他們就是成佛了，還是得回來度衆生。」

這雖然是開玩笑的閒談，但有一定的道理。現在大家都自己慶幸，我們成佛都在地藏王菩薩前頭。我們現在念《地藏經》，稱地藏王菩薩聖號，他要把我們都度盡了，他才成佛。但是你可不要等著，這中間恐怕還是要受苦的。要精進一點，否則容易產生懈怠心。

「發誓願已，具聞清淨蓮華目如來而告之言：光目！汝大慈愍，善能爲母發如是大願。」

她這一發願相應了，一感就應，是眞正的相應。清淨蓮華目如來就告訴她說：「妳這麼樣發願是大慈愍，爲你母親發的這個願是最大的願了。」像我們有人就想起要怎麼爲媽媽免難，就沒有想到爲別的衆生免苦。所以我們打佛七也好，做佛事也好，你用心時不只要先想到你媽媽，還要想到一切衆生，因爲一切衆生都是你的父母。

無量劫來，乃至於我們的冤親債主，不只要迴向給我們的父母，就是跟我們最有仇的，感覺上跟你最彆扭，這個人最整你害你的，你發願先度他。這樣的壞人讓他不要在這世界上了，讓他成佛！成了佛了，他就再不壞了。你度一個壞人，比度一萬個善人還好。這個發願是對所有衆生發的，所以清淨蓮華目如來就讚歎她說：「妳給妳母親發這個大願，從這個願裡，妳母親就已經免難了。」

「吾觀汝母十三歲畢，捨此報已，生爲梵志，壽年百歲。過是報後，當生無憂國土，壽命不可計劫。後成佛果，廣度人天，數如恆河沙。」

清淨蓮華目如來看她的媽媽，在十三歲以後死了，捨了這個報身轉世做修道者。「梵志」是印度的學者，學什麼的？學清淨行的。「梵志」就是志向要生梵天。做了「梵志」，壽命百歲，之後就生到無憂國土，那時他的壽命就不可計劫了，不是以時間來算他活多少年。不知是生到極樂世界，或者藥師琉璃光如來世界，那個時候他生的淨土叫做「無憂世界」。

「廣度人天，數如恆河沙」，這是說她媽媽。因爲地藏王菩薩發這個大願，她媽媽得到什麼好處了呢？得到了十三歲壽命捨完了，生做梵志，壽命百歲；乃至梵志的壽命盡了，又生到無憂國土，那時的壽命就沒有窮盡了；一直到成佛，成了佛之後度一切衆生，所度衆生的數量多如恆河沙數。

這是地藏王菩薩過去的故事。如果大家想對道友講，不要按經上講，就跟他講故事好了。你說：「我給你們講一個人，這個人他怎麼發願，他過去怎麼度他媽媽。」你把這個故事給他一講，他認爲很好，他也會發願的，他要度盡衆生。就是把這種好事都讓給別人，你隨緣這樣子做，你就是弘揚地藏法門了，你就是在實行地藏王菩薩的願。他的目的是在度衆生，你常常勸人家這樣做，不也是在度衆生？不一定非得要講經，或是鄭重其事的才算是度衆生。

有一個弟子，他在工廠裡，勸了很多人信佛了。雖然是個小工廠，反正見了一個勸一個，見兩個勸兩個，這個功德是無量的。你說沒有看到功德利益，這是不可見相的，不一定都會看到。也不能說你現在就受，因爲你現在有些困難也不見得會解決。就像那個羅漢福度光目女，光目女求，也不是現在她媽媽就會怎麼了，但是脫了地獄了，生做一個下賤人，十三歲就死了。別看眼前，等以後就好了！生爲梵志了，以後就逐漸學道了，到無憂國去了。應當這樣看。

「佛告定自在王：爾時羅漢福度光目者，即無盡意菩薩是。光目母者，即解脫菩薩是。光目女者，即地藏菩薩是。」

這個故事講完了，佛就跟定自在王菩薩說：「你知不知道，那時候的羅漢是誰？無盡意菩薩是。光目的媽媽是誰？就是現在的解脫菩薩，還沒有成佛，現在也都在這個法會裡。光目女就是地藏王菩薩。」

我們就講到這裡。今天的雨很大，大家還是來了，就是一念心！這種道心，會有感應的！有些問題不要看得過深了，我們把它現實化，就是看成是我們現在的情況，把它融於現在的日常生活當中。經上教導我們的，都要求我們把它連繫到我們現在的生活中。我們有什麼具體困難、有什麼苦難，都可以這樣求，求的時候你要發願。像光目女說要度一切衆生，這只是個願，她當還是個女孩子，但是這個願可以導致她行菩薩道，因爲她今生發願、來生發願、生生發願，永遠不停歇的發願，永遠不停歇的度衆生。

我們的眼光不要看得太淺近了，不要看一世、兩世，更不要看我們現在當前的富貴、貧賤，不要注意這個。要注意什麼呢？現在衆生的災難。我們時時的發願，念經也好，念佛也好，希望這一切災難不要發生，乃至於用我們自己的力量，有多少力量盡多少力量。我們信佛的是這樣，但是不信的就幸災樂禍，如果哪裡打架，看熱鬧的人多得很。聽說哪兒發水災了，他就說：「我早就知道它該遭殃。」他哪兒知道了？看人家地震了，他自己的沒塌，他很高興倖免了。現在很多人都幸災樂禍，這也是願，不過，是惡願。就衝這個願，非下地獄不可，不管有沒有做，這比你親自殺一個人惡得多。

我希望我們的佛弟子，凡是聽到《地藏經》，大家都發願，願這個世界消除災難，聽到哪裡有災難，你馬上就迴向，你念十聲「地藏王菩薩」也好，念一部《心經》也好，就只要幾分鐘，效果如何，你不要問。爲什麼呢？這個效果是你所看不到的，你周圍的氣氛也都不同了。

「過去久遠劫中，如是慈愍發恆河沙願，廣度眾生。未來世中，若有男子、女人不行善者、行惡者，乃至不信因果者、邪婬妄語者、兩舌惡口者、毀謗大乘者，如是諸業眾生必墮惡趣。若遇善知識，勸令一彈指間歸依地藏菩薩，是諸眾生即得解脫三惡道報。」

我們的現在世就是佛在忉利天說法的未來世，從現在起，未來的未來是很長遠的，未來的眾生也是無窮無盡的。

「有」，這是專指做惡業的，善業的不在此限，不論男人、女人，不行善、行惡的人。

「不行善者、行惡者」指意業，甚至於不信因果。因爲善有善報，惡有惡報，不是不報，時候未到，他不信因果，如果他認爲做惡要償還、有果報的話，他就不敢作惡，他要是相信未來還要受多少劫來還這個罪，就不敢造惡。他只顧到現時，從事槍殺、盜竊的人，是不相信因果的，如果他相信惡業因果，就不敢做這些事了。

因此，這些不信因果、邪淫妄語者，邪淫是身業，妄語是口業，兩舌惡口是口業，邪淫就是濫交，不是夫婦關係；妄語是說瞎話，這裡有深、有淺，有大、有小。罪惡也有大小，最大的妄語是欺騙人家的錢財，欺騙的方式不同；或者迷惑衆生，或者說自己得道了，這不一定是指出家人，在家人也有，說自己得了什麼神通，證了什麼道果，這種妄語是大妄語，不是我們一般的說瞎話，這都叫妄語。

存心欺騙人家是有目的，爲了名聞利養，這種妄語都算是。兩舌是挑撥是非，當彼說此，當此說彼，這種罪要受什麼果報，到後面看地獄的名字，就知道了。當時說話沒有想到後果，如果人人想到兩舌要割舌頭，要下地獄受無量劫的痛苦，再也不敢說，既使要說也會考慮一下。

惡口就是說粗話，對人家說粗話、毀謗大乘，這是指經典而言，不知不覺就犯了。我們學顯教的毀謗密教，學密教的毀謗顯教，學淨土的毀謗禪宗，學禪宗的毀謗淨土，乃至學法相的毀謗法性宗，總而言之，都是毀謗之類。乃至於此經上說，誦《地藏經》功德相當大的，你卻說沒有功德，或者見人家誦經，想盡種種方法破壞人家，這些罪都是惡業，而且是重惡業，一定要墮惡道。

趣向於惡趣，這個惡趣是指地獄道而言，假使造了這麼多惡業，一定要到惡道受痛苦。在現生當中，我們也造了很多錯，大小都有，甚至於自己犯了罪還不知道，沒有認識到，也沒有認識到後果的嚴重性，在還沒有受報以前，如果遇到一位善知識，對佛法能有深切的了解，能應機幫我們脫離苦海，都叫善知識，意義是很廣的。

「勸令一彈指間」，時間很短的意思。勸你皈依地藏菩薩，你造了這麼多的罪，將來的後果一定不堪設想，最好皈依地藏王菩薩吧！但這不見得一定有效果，看見造業的人去規勸他，即使是你的六親眷屬，乃至於勸你的父母、先生、太太都不見得生效。因為他不信因果；相信的人，彈指間皈依，就解脫三惡道報。像我們念了很多《地藏經》，天天稱誦地藏王聖號，當然沒有事，一定可以脫離三惡道。但是如果一邊讚歎佛，一邊在做業，我想我們都如是，天天在犯，一邊念經、拜佛、拜懺，一邊兩舌、惡口、妄語，還有門戶之見，皈依這位師父，說那位師父不好，隨便說一說，你還不知道其中的厲害關係，這就是毀謗大乘，無論誰這樣說、這樣做，就是毀謗大乘。

如果你真的悟得了，無我了，人無我，法無我，證道了，不是存心毀謗他，也不是存心去破壞這個法，目的是想對當前的機，救度他，你能有力量使他入道，這就另當別論。如果你沒有這種本事，也沒有證道，以人我之見，毀謗這個法那個法，這都是錯誤的。修《法華經》的，說修《地藏經》不好，修《地藏經》的毀謗修《法華經》的，這種罪過很深的。因為，你畢竟還沒有成佛，佛不是這樣說的，大菩薩也不是這樣做的，文殊、普賢都是互相讚歎，沒有說你不如我。記住，這樣會在不如不覺當中犯了很嚴重的五逆罪惡，破壞大乘，不過只要你有深切的信心，造了這種罪，就皈依地藏王菩薩懺悔。

在《地藏經》中特別推崇地藏王菩薩功德，造了五逆十惡的罪，一彈指間皈依地藏王菩薩就可以解脫三惡道報，不墮三塗；但是必須相信因果，因爲相信因果，你的心念就清淨了，隨順法性而說。如果你不做這些業，反過來就是善業，十惡不做，就是十善，惡業也是性，什麼性？穢性，心裏不乾淨，連性體也不乾淨。習性的性，是我們原來本具性德的性，那個性也沒有染污，也沒有清淨，這裡是說習種性，現前的。一個是能藏的，一個是所藏的，能藏的就是這些業，所藏的就是清淨的心，淨心做的都是淨業，污染心做的都是污染業。因爲心是主體，要做什麼事，不能離開你的心，不能離開意念、思惟。

這段經文的意思是因爲地藏王菩薩在過去發了很多利益衆生的大願，假使在今生，有的衆生皈依他，仗他的力量消除了你的災難，不墮三塗，因爲一皈依地藏王菩薩，你的心就淨了，穢業就消失了。

「若能志心歸敬及瞻禮讚歎，香華、衣服種種珍寶，或復飲食，如是奉事者，未來百千萬億劫中，常在諸天受勝妙樂，若天福盡下生人間，猶百千劫常爲帝王，能憶宿命因果本末。」

這段經文的意思是，只要你一彈指間念一聲「南無地藏王菩薩」，並且能誠心，制心一處皈命敬禮，或瞻禮地藏菩薩的相，讚歎地藏王菩薩的功德，或供養香華，誠心供養菩薩種種珍寶。不過這就隨意了，因爲大珍寶，窮人是沒有的，一般家庭吃飯前，最好是中午那一餐盛點米飯、菜供在佛像前或菩薩前，這都叫供佛。心到佛知，我們至誠心歸敬，佛菩薩都明瞭的，一切護法神也明瞭的，這是表達自己的心，這就不僅僅是免除三塗之難了，在未來百千萬億劫中，從你現在至心恭敬起，經過百千萬劫那麼長的時間再不受三塗苦了。

「常在諸天受勝妙樂」，享受天福，光是樂沒有苦，所有聖人看見天人還是苦，爲什麼？因爲還是屬於分段身，百千萬億還是有盡的時候，還是一段一段的，但天人本身不覺得苦，假使天福盡了，百千萬劫的時間到了，福德的力量就盡了。

供養地藏王菩薩的福德，還是有時限的。因爲這不是證得的，也不是種性的。天福盡了，享受人間的福德，到人間爲國王爲將相，功德福德無量的。福德還不是最重要的，最重要的是他能知宿命因果，本來有宿命通，能知道過去百千萬億劫中，從什麼時候發心供養過地藏王菩薩，經過了百千萬億，這麼長的劫分，完了在天上享樂，樂享完了又到人間。他如果知道宿命因果本末，還會造惡嗎？他會繼續爲善，重點在此。也就是說他的惡止了，他能繼續爲善，福德又增長了；聞法之後悟解，悟解後修了道了，斷了人我，證了阿羅漢果；了生死，六道不輪迴，如果發了大菩提心和地藏王菩薩一樣的，這樣就無窮無盡了。

現在大家不知宿命因果，如果知道，就知道什麼事該做，什麼事不該做；就有了智慧，也絕對不會造業。如果大家認爲我有錢了，生活好了，不造業了，那就相反了，生活愈好愈造業。

這段經文告訴我們不只是脫離三塗，不受苦了，還要享樂，但皈依的方式、情景不一樣。前面是彈指皈依，這裡是至誠皈敬，還要瞻禮讚歎供養。如果讀過〈普賢行願品〉，皈敬讚歎供養，是普賢菩薩十大願王的三個願，皈敬不只是皈依一位地藏王菩薩，也不只是一尊菩薩，而是盡虛空遍法界的諸佛菩薩，無窮無盡，這樣的皈敬，這樣的讚歎、供養，同時把自己化現無數身在那裡禮敬，乃至於世間所有的事物，想到什麼，就供養什麼。

如果這樣用心，走到花店，用你的心力把這裡的花移去供養佛菩薩，這就是普賢菩薩的供養。如果擴大一點，那不只是未來百千萬億劫，也就是無窮無盡不可思議的劫，而且你本身就是地藏王菩薩，這樣的供養，供養自己，供養無邊的身雲。

所以端看你怎麼用心，也就是指我們現在凡夫的一念心，你一天當中是怎麼想的，做些什麼，想些什麼，也不需要打卦、算命，這些經上，都告訴你了，只要一念間就行了，一彈指間皈依就脫離三塗了，如果至心誠懇的念一部《地藏經》，經經都是互通的，或者念〈普門品〉、〈普賢行願品〉、

《金剛經》。每部經典都是相通的，就看修行的人，受持讀誦的人怎樣用心，把孩子、父母都觀成地藏王菩薩，我替他們服務的，跟給地藏王菩薩服務的，一樣是通的。

地是心地，性是藏性，人人都有心地，都有藏性，你供養誰都一樣，不過這種境界、這種觀不容易修，你臨時想一下都行，如果靜下來十分鐘都可以，如果你讚歎一切佛，讚歎一切菩薩，文殊、普賢、觀音、彌勒菩薩都可以。

我這樣是開闊的說，剛才那段經文是局限的，你要是這樣來講因果，這個因所得的果就不可思議，最後就成就佛果。如果你一天就做家事，每月拿點工資吃飯，有空就隨便念念經，你的功德很小。要是把它和日常生活結合起來，把他變化一下，反正都是想，爲什麼不想好一點，大一點？你的心愈開闊愈好，總比想煩惱好，煩惱到這裏來就會產生變化，煩惱到這裏也變成智慧了，煩惱即菩提，涵義就在此。

如果你一天到晚在想煩惱，你的一點經歷或皈依地藏王菩薩的功德也變成煩惱了，你正在念經，家人打開岔，心裏過意不去，剛拿起經本，家人就來了，你就做煩惱想？應做智慧想，這下剛好，他也得到好處了，就給他迴向一下，千萬莫作煩惱想，就看你的用心怎麼用。所以要是能至心歸敬瞻禮讚歎供養，當然要得福報，不要求世福，也不要求天福，而是要求智慧，求佛的福德，把這個百千萬劫在天上受勝妙的福德布施了，這就叫布施。

「定自在王！如是地藏菩薩有如此不可思議大威神力，廣利眾生，汝等諸菩薩當記是經，廣宣流布。」

這段經文是定自在王請佛說地藏王菩薩過去的種種功德，利生的行門。佛就說了，說地藏王菩薩就有這麼大的威德力，有這麼大利生的方便善巧，使衆生得到很好的利益。

「汝等諸菩薩當記是經，廣宣流布」，佛對每一位菩薩都囑託他要去流通《地藏經》，應當把地藏王菩薩利益衆生的事跡向一切衆生宣傳，「廣宣流布」，廣者是無限量的意思，宣是宣揚，流布是流通，不讓它喪失，永遠流布人間。

「定自在王白佛言：世尊！願不有慮，我等千萬億菩薩摩訶薩必能承佛威神，廣演是經，於閻浮提，利益衆生。」

定自在王在佛囑託之後，就向佛發願表白說，世尊不要爲這件事憂慮，現在在這個法會上有千萬億菩薩摩訶薩，也就是大菩薩，摩訶薩是大的意思，必能承佛威力，一定仗著佛的力量「廣演是經」，到處宣揚《地藏經》。「於閻浮提利益衆生」，應爲廣宣流布一切法界；「廣演是經」是普遍性的，閻浮提爲重點，前面佛說閻浮衆生，性識無定，惡習結業，所以提出「於閻浮提，利益衆生」，因爲閻浮提這個地方的衆生性識無定，造惡業的多，行一點善事，又去做惡，因此著重於南瞻部洲。

「定自在王菩薩白世尊已，合掌恭敬，作禮而退。」

第四品是定自在王請佛演說地藏菩薩的功德，現在說完了，他是當機衆，佛的解釋也圓滿了，定自在王也發了願流通這部經，便向佛合掌恭敬頂禮而退，不在當機演法的位置上了，他退下去，四天王又請法了。

「爾時，四方天王俱從座起，合掌恭敬白佛言：世尊！地藏菩薩於久遠劫來，發如是大願。云何至今猶度未絕，更發廣大誓言？唯願世尊爲我等說。」

四天王懷疑說：「地藏王菩薩有這麼大的願，早該把衆生度完了，爲什麼還有衆生沒有度呢？現在度不盡又繼續發廣大誓願？惟願世尊爲我等說。」

四天王是忉利天之下，在須彌山的山腰，屬於善神，是擁護四大部洲的衆生。他們住的地方是由他的福所感召的，比在人間好多了。但是他也在地表上，並沒有脫離地表，忉利天也跟人間相連接的，他住的地點和《彌陀經》上所說的也差不多，也有七寶池、七寶宮殿、七重欄楯、七重寶鈴，這是他福報所感的，也是很好的，但是跟極樂世界不能比，極樂世界是不可思議的，是阿彌陀佛的願力所化現的。

四大天王分東西南北，東方表金色的持國天王，南方是表琉璃的增長天王，西方是廣目天王，北方是水境寶城的多聞天王，四大天王管四大部洲，南瞻部洲，北俱盧洲，東勝神洲，西牛貨洲，四大天王以北方的多聞天王爲主，也是有一個領導人物。

四天王又從座起，把心裏未了然的事請佛說一說，他們認爲，以地薩菩薩這麼大的神力度衆生，該度得差不多了，爲什麼現在又發願要度呢？「惟願世尊爲我等說」，這一段經文是以四天王爲當機衆。

「佛告四大王：善哉，善哉！吾今爲汝及未來現在天人衆等廣利益故，說地藏菩薩於娑婆世界，閻浮提內，生死道中，慈哀救拔，度脫一切罪苦衆生方便之事。」

佛是只要有人請法就會說的，慈悲爲懷，讚歎他們問得好，因爲這種懷疑一般衆生都是有的。「善哉，善哉！」即稱揚他們問得好極了。「吾今爲汝」，我現在在忉利天的會場當中，及現在未來的天人衆等，也有些沒有到會，像人間的四衆弟子就沒有到會，也沒有阿羅漢，這裡都是地藏王菩薩所教化的，還有十萬菩薩。

所以佛說完之後，就是利益這些現在和未來的天人。未來的要靠傳播，《地藏經》的流通，廣利益故，說地藏王菩薩在南閻浮提六道輪迴度衆生的生死道中，怎樣度、怎樣慈悲哀憫。慈是給他快樂，哀憫衆生受苦，給他一些快樂，怎麼樣叫慈哀救拔呢？像我們發生了困難，希望有人拯救拔我們的苦，給我們快樂，度脫一切罪苦，衆生方便之事，方便的事太多了，各個菩薩所用的方便法門也不一樣，在《華嚴經》中說無量億的方便法門，如恆河沙的方便法門，每位菩薩用的方便法門太多了，我們有時認識不到。

「四天王言：唯然，世尊！願樂欲聞。佛告四天王：地藏菩薩久遠劫來，迄至于今，度脫衆生，猶未畢願，慈愍此世罪苦衆生。復觀未來無量劫中，因蔓不斷，以是之故，又發重願。」

「唯然」就是答應的很快，「佛跟我們說的太好了，世尊，我們極歡喜聽一聽。」「願」就是希望之意，「樂」就是很快樂，佛把地藏王菩薩爲什麼又發願的原因跟四天王說。地藏菩薩久遠劫來，這是前面說的那個四重大願，做長者子、做婆羅門女、做光目女都是發了願了，一次發一次願度脫衆生，猶未畢願，到了現在那個願還沒有滿，爲什麼呢？爲了哀愍救濟，這個世上受罪苦的衆生，不只現在，復觀未來無量劫中，在未來無量劫因蔓不斷，像藤似的，一個跟一個不中斷，因果相續，衆生的業緣，永遠不盡，因爲這種緣故，所以又發重願，又再發願。

現在這個世上的災難，我們總想有清淨的一天，可是永遠清淨不了，現在水災、火災，好多戰禍，也是永遠沒得完，衆生業無盡，所以他怎會不感果呢？地藏王菩薩的願永遠滿不了，不只如此，觀世音菩薩的願，普賢菩薩的願乃至一切諸佛的願都如是。

我們看到聽到這些事就發願，發願不是空的嗎？現在是有點空的，但你發這個願有一定時間，就不空了，因爲這願的本身就使你的心清淨了。你發一願就清一願，就有利益衆生的目的，這是很不可思議的。有些願，現在是空的，將來會不空，你的願不會虛發；但是發惡願也是不空的，也是不虛發的，你想整人想害人，那個願也不虛的，來生遇到時會現前的。

爲什麼見到一個人不知不覺感到特別討厭，產生極大的怨恨心，這是前生宿業牽連的。人家對你也是這樣，無緣無故給你兩槍，你要想到因果，這不是偶然的，而是必然的。因爲你欠他的，現在新結的冤業也有，過去沒有，那他欠你的，將來再還你。有惡怨有善怨，緣也有善有惡，正因爲如此，這兩者是相聚的，見了誰都喜歡，把你的冤家當父母一樣，那冤家就化解了，再不會冤了，如果你生起歡喜心，他再怎麼生氣，火也發不起來，這是很有關係。

「如是，菩薩於娑婆世界，閻浮提中，百千萬億方便而爲教化。」

以下就開始講地藏王菩薩善巧方便的方法，地藏王菩薩化導衆生，現在特別注重娑婆世界閻浮提，因爲這個世界的衆生惡業特別重，而且地藏王菩薩發願，特別著重在這個世界的衆生，所以說地藏王菩薩跟此土，也就是指娑婆世界的南閻浮提，因特別重，緣特別深，所用的教化方法也有百千萬億方便。應以何身得度者就現什麼身，這是一種。應以何種法門得度者說《地藏經》，這也是一個法門。

《地藏經》還有示凡的作用，像在安徽九華山，那是地藏王菩薩化身以此爲方便。地藏王菩薩到了北京拈花寺，遍融老和尚是他的化身，他又以打掃清潔爲方便，專門打掃寺院的廁所，誰又想到這是地藏王菩薩來做的打掃清潔，到臨死時，他現個神通，才知道這是地藏王菩薩化現的。

至於說百千萬億方便，他到這個地方是什麼目的，化度那些人，因爲我們不在，像在九華山，到了現在還是利益很多的人。凡是朝山的，到那裡去禮拜地藏王菩薩的，都會得到一定的好處，乃至於這尊地藏王菩薩像，我們在這裡學習《地藏經》，燒香供養，恭敬禮拜，就這麼一念之間就脫離三塗苦了，這就是地藏王菩薩的化身，百千億的方便。

既然是方便，對菩薩就沒有約束力了，菩薩利益衆生也是沒有拘束的，他的意念是要度這個衆生，要度他，乃至示現種種方便，這是沒有拘束，沒有限量的，示現同事，是女的他就示現女的，是男的就現男的，做生意的就示現做生意的，要度他，你必須跟他建立因緣，無緣還是度不起來的，怎麼結緣呢？現在你念念《地藏經》見了地藏像，問訊問訊，磕個頭，燒支香，這個緣就結下了，地藏王菩薩現身就會度你。

「四天王！地藏菩薩若遇殺生者，說宿殃短命報；若遇竊盜者，說貧窮苦楚報；若遇邪淫者，說雀鴿鴛鴦報。」

佛就對四天王說，千萬億方便是指哪些方便呢？「若遇殺生者」，地藏菩薩要是碰見殺害衆生的衆生，打獵的獵夫，做屠宰業的人，就說宿殃短命報。你今生殺別的衆生，來生會經常害病，壽命不長；因爲你短少了別人的命，自然感果，也受短命的報。這還不是還債，你欠命債，還得還，短命報只是一種華報的果，容易生病都是華報，還不是因報；因報是你必須殺那個衆生，還那個衆生的命債。要是遇見殺生者，就跟他說這種話，但是必須要有善巧方便，不可以直來直往，說法也得看情況，人家要聽，你給人說，人家不聽，你勉強他是絕不可能的。得他自己發心，而且要有因緣，這樣看起來很簡單，其實很複雜，千頭萬緒。所以說法要有時機，示現善巧方便得示現愛語說，你度他，得先說好話。

「若遇竊盜者」，偷東西呢？你跟他說莫要偷人家的，偷人家的要受窮，要受苦，爲什麼現在有窮有富？爲什麼別人有錢你沒有錢，爲什麼同一個行業，人家做就賺錢，你做就賠錢。我們經常講機運，巧合，那個機遇關係大的很，前腳走慢了一步，窮就趕上你了，你還是受窮，走快了，窮在前面等著你，你到哪裡就窮了，這叫機緣。業果不失，你偷人家的，總想佔人便宜，總想多得一點，愈佔愈窮，這類事太多了。

「若遇邪淫者」，雀、鴿子、鴛鴦是飛禽小動物，有些人講情愛？就拿鴛鴦做比喻，像梁山伯與祝英台最後變成蝴蝶飛起來了，好像很好，大家想一想，做人好還是蝴蝶好？

「若遇惡口者，說眷屬鬪諍報；若遇毀謗者，說無舌瘡口報。」

「若遇惡口者」，這是說口業，口有四種業。現在爲什麼有家庭不合，一天到晚在吵架，在美國都是夫婦兩人，在中國大陸是大家庭，幾代人在同一個地方住著，經常吵架，爲什麼呢？過去的惡口業造太多了，口裏總是不乾不淨的，說話總帶髒字，這好像是一個地方風俗習慣的惡口，乃至說很多髒話，各個地方都不同。

「若遇毀謗者」，你覺得今生做什麼事，總是閒言閒語是非很多，這是你過去毀謗人家太多了，前面說兩舌，在張三面前說李四，在李四面前說張三，到處挑撥。要是知道這種因果，記得不要隨便開口罵人，說不清淨語言，一定會遭報的。要是毀謗三寶，更不用說了，但那不在這之內，而是犯五逆了。

衆生讚歎隨喜的業不大成熟，人家一說誰好，他總要挑點毛病，就連出家人也一樣。普賢菩薩十大願王中的第五大願「隨喜功德」，乃至於做一點小事，看見什麼都隨喜一下，這個世界雖然說怎麼壞，我看好事還是很多。你一天當中所收進來的隨喜功德不可思議，功德無量，乃至一點小事，法會也好，做佛事也好，幫助人也好，隨便一點，要隨喜人家功德，說：「我很高興！我讚歎隨喜！」這功德不可思議，都成了你自己的，把所有一切功德都成了你自己的，你不是缺功德嗎？他做即我做，但是要毀謗，他非即我非。

看人家這個不好那個不好，你永遠成就不了，在你的思想意識中，盡是壞東西，還清淨得了嗎？你的心就污染了，同時要遭果報，沒有舌頭，說不出話。現在口裏總長瘡，舌頭總是爛的，有時是火大，知道了自己要注意一下，隨喜功德佔的便宜最大，特別是隨喜十方法界，一切諸佛菩薩時，都在度衆生，你用不著看見，你發願就好了，隨喜功德，照著〈普賢菩薩行願品〉，觀想現在極樂世界阿彌陀佛正在說法，你怎麼不隨喜一下，彌勒菩薩在兜率天說法，你常隨喜一下，十方法界一切諸佛都在說法，爲什麼不隨喜，反而一天到晚睜著眼睛看衆生的過惡？所以要注意，不要毀謗別人，要稱揚別人，一個人能生存必定有他的好處，你就隨順他這一點，他有一點好就可以，你就會積福了。

「若遇瞋恚者，說醜陋癃殘報；若遇慳吝者，說所求違願報。」

「若遇瞋恚者」，瞋恚就是發火、發脾氣，家中都有照相機，當大人小孩發火時，把他照下來洗出來看一看，都是橫眉豎眼的表情。人的像貌本來很好看，但是一起瞋恚心，馬上就變了，對人常起瞋恨心是不好的，果報是什麼呢？一者是引火燒身，瞋恨就是火，你看他臉紅的，自己燒自己身體，一發脾氣心就亂了意，做什麼事都會慌亂無章的。在憤怒之下，千萬不要處理什麼問題，絕不恰當，也容易自殺。死了還要受報，要下地獄，地獄的那些火都是發脾氣所發的，瞋恚就是業障大，這樣生了變成人，像貌一定不好看，那麼醜誰看了都憎惡，或者殘廢或者聾子，反正六根不全，這是瞋恨的果報。假使來生變人，還得經過地獄無量劫的時間，所以千萬不要發火。自己心裏要時常觀察，怎麼對付瞋恨心呢？對一切人慈悲，像彌勒菩薩就是慈氏，他不起瞋恨心，總是笑呵呵的。

「若遇慳吝者」，慳吝，就是不肯布施，碰到窮人跟他討錢，他的臉馬上掛下來，佛弟子千萬要慈悲，也有騙人的，但你給他的時候，你是行菩薩道的，你管他是什麼用心呢？沒有帶錢，你也高高興興、善言巧語的安慰人家，你見到窮人就瞪眼睛，那你永遠也富不了，要想發財就要布施，來生就眞發財了。慳是慳貪，吝是吝嗇，要是遇到貪吝的，來生要想求什麼事都不成，今生你貪求吝嗇，來生你無論做什麼事都不如意。

「若遇飲食無度者，說飢渴咽病報。」

「若遇飲食無度者」，一天到晚的吃，小孩子除外，因爲他還不知道。有些成年人見到什麼就想吃，肚子雖然不餓，就是嘴饞想吃，和尚過午不食，是不是怕來生得果報？是要減少飲食。佛教中說比丘有病，當減飲食，若有了病少吃點，病自然就好，這叫飢餓療法。飲食無度是貪吃，吃得咽喉生病，吃不下去，想喝水沒有，想吃飯沒有，到地獄去，想吃烊銅灌口，飢火燒身。飲食不要數數無度，一天三頓飯，也有因體力勞動，多吃一、兩頓，但這都是不好的。

「若遇畋獵恣情者，說驚狂喪命報；若遇悖逆父母者，說天地災殺報；

若遇燒山林木者，說狂迷取死報；若遇前後父母惡毒者，說返生鞭撻現受報；若遇網捕生雛者，說骨肉分離報。」

這裡說的很複雜，各種報感的果都不同，爲什麼有那麼多地獄呢？這是雜報，因爲你生前所造的業，所以感什麼果。

「若遇畋獵恣情者」，「畋獵」是指打獵的，這也是一種習慣，有的以此爲生，打獵有幾種情況，拿槍打的、做陷阱的、用弓箭、石頭，還有用樹的，使被害的獸類產生驚狂恐怖感，來生所感的果，像有很多瘋子突然驚狂，乃至於喪失性命，這和過去的業有關，因爲過去造的業成熟了。

「若遇悖逆父母者」，對父母忤逆的，這就很多了。悖者，即違背的意思，總是愛頂嘴，不順老人的意思，特別對父母年紀大的，總認爲他不合實際，做事不是那麼靈巧，很多子女對父母教育的話都不愛聽，這要受天地災殺報。各種的自然災害，如水、火災、地震、戰爭的災害，你總是趕去受，這是你過去的業驅使你的。

「若遇燒山林木者」，燒山林木者，犯的人不多，得住在離山林近的，燒山林木會燒死很多眾生，除林木之外，所得的果報是瘋狂，也就是心迷了。

「若遇前後父母惡毒者」，或再嫁再娶的，對人家帶來的孩子不好，遭的果報是返生鞭撻現受報。

「若遇網捕生雛者」，這和畋獵是一個類型，打魚、捕雞所得的果報是骨肉分離報，自己的至親眷屬經常不能團聚在一起。

「若遇毀謗三寶者，說盲聾瘖瘂報；若遇輕法慢教者，說永處惡道報；若遇破用常住者，說億劫輪迴地獄報；若遇汙梵誣僧者，說永在畜生報。若遇湯火斬斫傷生者，說輪迴遞償報；若遇破戒犯齋者，說禽獸飢餓報；若遇非理毀用者，說所求闕絕報；若遇吾我貢高者，說卑使下賤報；若遇兩舌鬪亂者，說無舌百舌報；若遇邪見者，說邊地受生報。」

這一段是說明雜報，因果業報很雜的，沒有專指那一種說，這裏說的名詞都是傷害眾生生命的手法、工具。

「若遇湯火斬斫傷身者，「湯」就是滾水、沸水，這個水雖然不是火，但燒滾了，可是跟火一樣的，到下了地獄受果報時，把油燒開了，把身體沾油或滾水也能澆爛了，或用刀斬腦殼，「斫」即挫的意思，把刀來回鋸的意思，不管湯也好，火也好，刀也好，傷害衆生生命時，會輪迴遞償報。

你用什麼方法害別人，將來你受報，就要受什麼法子的苦難，所以下地獄有種種名詞，就因前面這些雜報的因果而來。「斬」即斬腦殼，「斫」就是肢解四肢身體的意思，砍手、砍腳、四肢受輪迴遞償報，將來你要還給人家的時候，你應如是還。《楞嚴經》中說：人食羊，羊食人。人死了爲羊，之後又被人吃，這是還報的意思，我們沒有神通是不知道的，只能看見眼前的，有了神通就能認得到了。

以前曾經講過一個故事，一掌祖師爲什麼要說相命、批八字呢？因爲他受了好處，有一個相士跟他說：「師父！你的壽命不長了，只有三斗米的命。」因此，他就到一個經常供養他的施主家中，他對施主說：「你不要再請我吃齋了，給我三斗米好了。」施主很奇怪說：「你要三斗米做什麼？」他說：「我的壽命只有三斗米的量，我受你一頓齋飯差不多就去了一半了，你給我三斗米，我回去慢慢吃，慢慢用，將來或許會修成道業也不可知。」施主就給他了，他揹回洞裏去，在山上修行，每頓飯餓的不得了，就用舌頭舔，手掌到米裏沾，沾了這麼一掌，就算吃完了。

有一天，他這麼一沾一沾的，等到三斗米盡了，他的壽命已經變了，道業已經修成，有神通了，於是他寫了一本相書，說相命不一定準確，他又到施主家中去看，他這三斗米吃了很長的時間，剛好他的施主結婚。他在門上一看就哭了，旁人不太歡喜，向他說辦喜事，你怎麼哭了？他說：「苦啊！苦啊！」旁人問：「那裏苦啊？」他說：「可嘆衆生苦，孫兒娶祖母，豬羊席上坐，六親鍋裏煮。」

我這是解釋《楞嚴經》所說的，即交相食著還報，解釋輪迴遞償報。你吃他，他就吃你，汝負我命，我還汝債。因此說長劫輪迴，在六道輪迴經過多少劫，就是這麼冤冤替償，經百千劫這樣還報，這叫輪迴遞償，都要償還的。

「若遇破戒犯齋者」，破戒，大家受過八關齋戒，戒就是八戒，齋即吃飯，齋者，期也，有一個時間的界限，過午不食，這叫齋。若是破戒，犯齋者將來受饑餓，因爲變成禽或獸，沒有定量也沒有定頓，遇到了就吃，沒有遇到就沒得吃，要是受報成了老鼠，可就倒霉了，老鼠吃的可就沒有固定，而且最討人厭。或者變成蚊蟲，臭蟲，這都不一定的，因緣果報沒有一定的。

因爲你破戒犯齋的緣故，就說禽獸饑餓報，這是佛對四天王說的，說地藏王菩薩在因地中行菩薩道度化衆生時，就說這些法，讓你持清淨戒，不要破戒，也不要犯齋，受了就要受持，如果你無力負擔、怕犯戒，就不要受。

「若遇非理毀用者」，這裡專指三寶、常住物說的，你沒有得到允許來取用是不可以的；或在三寶寺廟中把三寶的物損壞了、打破了，你要賠償的。沒有要求你賠償，你也一定要賠；屬於三寶的一草一木都要愼重，都有因果的。假使得到准許，可以用，或者寺廟有些東西要毀壞建立新的，這個不算，這是開緣。不合理的就要犯罪，要受什麼報呢？今生來生所求的都不能滿願，資生四具，衣食住行求的都不能滿足你的要求，或者短缺，或者絕對沒有。

「若遇吾我貢高者，說卑使下賤報」，貢高我慢，每人都有自尊心，這是好的，但我慢是不好。總感覺自己比別人強，輕慢別人，抬高自己。我慢還有多種形式，有些人自己不如人，例如看見別人當博士、碩士，他自己連一個學士也沒有，這種忌妒心裡產生了，但是他還要我慢貢高，博士有什麼了不起，這種例子很多。

像我們在大陸，住在南普陀寺跟廈門大學住在一起，看見小販騎著車掛個筐，賣點青菜什麼的，大學門口有位教授跟他買青菜，大概爭執價錢，這位年輕人說了些很不好聽的話，說：「你買得起不？連這點青菜錢也磨菇個老半天，你到底是買不買？你那些知識有什麼用！」就把那位老教授挖苦了一頓，我在旁邊聽了心裏很不舒服，老教授嘆聲氣就走了，他可能連中學也沒有畢業，太不禮貌了，還認爲自己很高，他如果有高學歷還可原諒，但他根本不高，自己不高卻總要比別人強，這是一種貢高。

還有，例如我們修行的人，學佛法的人，本來就不高，你也不知道也不去問，總覺得問人好像是恥辱似的，或同參的道友，自己不知道就說不知道，或自己沒有得道的，或沒有證得聖境，產生感應，卻說自己得到，這是很危險的，這是犯大妄語戒。

貢高有多種多類的形式，不過總要謙虛卑下，這個卑下不是說我比人家矮一等，要把一切衆生當父母想，這是大菩薩的用心，我們恐怕做不到；但不要認爲自己總超過人家，明明自己不行，還以爲自己很高，這都屬於我慢；你越是瞧不起人家，將來受報越是做下賤的工作，給人當佣人，反正總經理、董事長沒有你的份，頂多打工而已。這還是好的，卑使下賤比這個還不如。

「若遇兩舌鬥亂者」，也就是挑撥離間，前面是說瘖啞，這裏說無舌百舌報，無舌即生生世世沒有舌頭，是啞吧，百舌呢？是舌多了不能說話，沒有完整的舌頭，很小很小的，發不出音來。

「若遇邪見者，說邊地受生報」，「邪見」就是看問題看得不正確，而且我見很重，堅持不捨，感的果報是生在沒有佛法、沒有三寶的地方，永遠聞不到佛法，這種雜報相當的多，在經上也沒有講很多。到寺廟或道場中不要多說話；不要說這個道友、那個道友、這個師父、那個師父，這是很容易犯錯誤的。給廟發心做好事，用常住物要特別注意，要用得適當，當用則用，不當用則不用，如不明白要請示。例如破齋，在廟中當然都有人管，他知道的。例如過午不食，廟中晚上是不該吃的，他就不會給你吃，如果他給你吃了，他跟你犯同樣的罪，本來你吃是你犯罪，他給你也犯破齋了，兩個人罪是相等的。

不過佛法到中國來，好像不太注重這個戒，好多寺廟晚上都是公開用齋，除非學戒律的如寶華山，那是堅持過午不食，其它寺廟說是聖上恩准的。好多建廟的，是按皇上所開、是照國法，而不是佛法，但是在印度絕不行。

還有，過午不食不只是佛教，修行梵行的也不吃，印度都是這樣。乃至於外道，婆羅門也有行齋法的，也不吃。回教有齋月，他是白天不吃夜間吃。佛在世時，在印度的齋法，連婆羅門梵天，也學梵志，修梵天行的清境行，他們也吃齋法，這叫齋法，到中土來就不是普遍行的。之後中國的禪宗盛行，住在山裏的老修行，不管白天黑天三天五天，他一出定了或用完功就要吃，用功時不論早上中午都不吃，出家人有些打淨不吃飯，爲了減少飲食，清洗腸胃，不但晚上不吃，中午早上都不吃，或者一天、兩天、三天都不吃。

「如是等閻浮提眾生，身口意業惡習結果，百千報應，今粗略說。如是等閻浮提眾生業感差別，地藏菩薩百千方便而教化之。」

佛對四天王說，像上面都是閻浮提衆生依身口意而造的惡，這是因，有了這個因，一定要感果。

「惡習」就是惡作，由身口意所做的不恰當的事，就是不善，就是惡，看你的不恰當到了什麼程度，所造的因大還是小，惡重、惡輕，所感的果也不同，爲什麼有這些惡因，還要造惡業呢？多生累劫的習慣事例，像說話帶粗惡語，就是惡口，習慣了，那一方的風俗習慣就是這樣子。像四川人叫別人是龜兒子，自稱格老子，已經成習慣了，這叫「惡習」。因此習慣事例所組成的必然要做惡，雖然不是有意的做，也都是做惡。

中國晉朝時代有一個五歲小女孩叫謝道韞，她沒有學習詩詞，作詩做得非常好，這是善業，善習。她父親限制她不准她作詩，再做就要打，她記下來，早上起來，古來教育子女一定要掃掃地，洗碗掃地是必然的。五歲小孩起來就掃地，她一邊掃地一邊詩興就來了，「慢掃庭前地，輕挪塞中箕。」她父親在那裡一聽就跳出來，不要妳作詩，怎麼又作起詩來了！」她說：「分明是說話，又說我作詩！」這就成了很好的詩，很自然，這也是習慣事例。

以前的劊子手，他的習慣事例是專砍人家後腦勺，在那裏下刀，不論誰都先看你脖子怎麼長的，他好下刀，這也叫習。還有馬戲團中飛車走壁的，這叫慣例也是習，有些作惡的人雖然無心做惡，但做出來的就是惡，這叫慣例，雖是果報，但是輕微的，所以至心爲上。

「百千」是形容報應太多了，一個是感得了應，一個是報因。你因地感召你報得的應，受苦的應。「今粗略說」，佛對四天王說：「我粗略的跟你們說一點。」這就表示，如果詳細地說，像這種身口意的業，惡習結果的還多得多呢！

「如是等閻浮提衆生業感差別」，這個業感就是你的業因所感的果報，在閻浮提這個世界的衆生叫「堪忍世界」，「堪忍」是指在忍受苦的時候，能承受，他能夠受苦而不求出離，而且連續不斷的受苦，連續不斷的造業，業積的太多了，苦怎麼能得到了脫呢？這個是南閻浮提衆生的特點，他的業感差別相當多，對於這類衆生，地藏王菩薩是百千方便而教化之，地藏王菩薩就說種種法門教化這類衆生，莫要造惡，要轉變你的習慣、習氣。

例如佛弟子都轉變過去的習慣，上廟隨順做佛事，在家自己念念經修修觀，多做利益人的好事，多做善人的事，逐漸的轉變習慣，因爲從心裏想的就可以知道你所做的。如果常受三寶、十善業的薰習，不貪、不瞋、不癡、不妄言、不兩舌、不綺語、不惡口、不殺、不盜、不淫，心裏常如是想就變成善習了，地藏王菩薩教我們很多方便，這就是《地藏經》所說的方便法。

附帶再說一個，《優婆塞戒經》，優婆塞即近事男，這部持五戒的經說：報有四種報，籠統說就是果報，但是報有四種，第一種是現報，也就是你今生做的現，現就受報，現世現報；現在這個時候做的業馬上就受報。第二種是生報，今生不受了，轉一生；現在做的業今生沒有受，那就等來生受。第三種是後報，今生做的業要經過三生，四生，五生或多生以後才受報。

第四種有些做的業並沒有報，什麼業呢？像我剛才說的，說人家是龜兒子，那是無意的，雖然他自己惡口，對別人沒有什麼損害，只是說話佔人家便宜，像這樣不會受報。同樣的，我們有些做的業不夠，善業得有程度，無記業就不受報，不記善不記惡，詳細說起來這個報太複雜了，有的是定、有的是不定，有的是將要受報的時候，他改了，而且特別的猛利，補過補的特別強，因爲把業轉了就不受報。報不定報，就像我們念地藏王聖號或念一部《地藏經》能得到好處，明明該受報的，轉了，只是自己還不知道。平平安安的過這一生，不知今生要受什麼報，但由於求佛菩薩加被，修行的關係，得到冥報，冥冥加持，不是很明顯的，但是業轉了。

有一種業，你的報是非受不可，是定的，只是什麼時候受，時間不定。報是定的，時間不定，因爲你做的業力，這個報絕不能改，但時間能轉化，也就是延到以後再來還，但這也得靠有定力，你做的功夫力，有一種時也定了，報也定了，又沒有轉變的辦法，那就按時按業受報，絕對要受。

所以經上教導我們，念了《地藏經》，供了地藏像，就不下地獄不墮三塗，這就是轉業了。本來一定會墮三塗，一定要受報，但轉化了，怎麼轉化呢？一者是地藏菩薩的加持力，一者是習力，惡習給善習，你這個報就可以不受，兩種結合。還有我們正做業時，想殺害他，做到一半，後悔了，那麼這個報輕微了，或者已經把人殺死了，後悔了，給他做法事懺悔，還他的債，這個命債是可以免除的。

「是諸眾生先受如是等報，後墮地獄，動經劫數無有出期，是故汝等護人、護國，無令是諸眾業迷惑眾生。」

這一段話是釋迦牟尼佛囑咐四天王說的，說你們要護持一個國家，使這個國家沒有危難，護持每一個人不令他迷惑、造業。千萬別讓造業的眾生，讓業來迷惑他，假使他受到業的迷惑，不知業的因緣怎樣產生，不知怎樣流浪生死，報是怎樣受的，你們也要跟他說。這是囑累四天王向眾生說的。說這些眾生做了那些業因，將來要受報的，這個報屬於華報，完了一定要下地獄。華報就是現生受的轉了，之後，你的業沒有轉重時，還是照樣受，華報如欠命還命，欠債還錢。

還有另一個罪，這是附加罪。你一定得下地獄。地獄出來或轉畜生或轉餓鬼六道輪迴，這是華報，受完了要受地獄的果報，一到地獄就經無數劫了。所以報的因緣很複雜，衆生之所以在六道中不停輪迴，受的時間長的原因就在此，生天了或又到人間，因爲有福報的關係。你的福盡了，在人間沒有做善事，新的福還沒有造又造了新業，那麼你的福報盡了又墮下去了，又去流轉了。

「四天王聞已，涕淚悲嘆，合掌而退。」

四天王聽了，悲嘆衆生苦，沒有離開六道，衆生造業只想快樂。快樂中容易造業，造業之後仍然墮落，一切業都是自做的。

我們經常說地獄本空，爲什麼要受這麼長的苦呢？心造的地獄本空，唯心造，自己做的自己受，我們說人間監獄是誰造的？自己造的，造了監獄就有人要進。法律是誰訂的？人訂的，這都是造業，以這種造業來制止造業，法律規定你不能這樣做，維持一個集體的秩序，這也是造業。但是你犯法，又造業，業上加業，要受報了，就住監獄，這都是現世現報。做了業馬上犯法，馬上抓起來住監獄，監獄和地獄是相符合的，兩情相依；但是你沒有這個業，你沒有看見，想看也不行，你要造了那個業，想不去也不行。

所以人間的監獄，你也得有因緣才看得到，否則看不到。還有，監獄也是形形色色的，地獄名詞很多，人間監獄的名詞也很多，各國不同，監獄中編的房號也不同，有輕刑犯、重刑犯，待遇也不同，地獄中名詞不同，受苦也就有差別了。因爲衆生造了那麼多業，對號入座，哪一號就到哪一個監獄，不是這個號的，來也來不到，是這個號也脫離不了。有沒有解脫的辦法呢？有，到了地獄門口，念一聲地藏菩薩聖號，那個地獄就空了，環境都變了，鬼卒也沒了，地獄也空了，就生天了。地獄的這些名號是什麼意思呢？是衆生的業感，前面指閻浮提，不只閻浮提，十方法界都是這樣，在中國有監獄，台灣也有，美國也有，十方法界都有地獄，不只閻浮提，那裡都有罪業的，那裡都有受苦的。

卷上竟

國家圖書館出版品預行編目資料

地藏菩薩本願經：夢參老和尚主講
方廣編輯部整理・--初版・
--台中市；方廣文化，2002--　(民91)
面：　　公分
ISBN 957-9451-69-9
1. 方等部
221.36　　91014798

地藏菩薩本願經《卷上》

主講：夢參老和尚
出版：方廣文化事業有限公司
錄音帶整理：溫哥華居士、方廣編輯部
住址：台北市大安區和平東路一段一七七-二號十一樓
電話：(〇二)二三九二-〇〇〇三　傳真：(〇二)二三九一-九六〇三
劃撥帳號：一七六二三四六三
戶名：方廣文化事業有限公司
封面設計：大觀創意團隊
印製：鑒坊工作室
經銷：飛鴻國際行銷有限公司
電話：(〇二)八二一八-六六八八　傳真：(〇二)八二一八-六四五八
出版日期：公元二〇一七年元月　初版六刷
定價：新台幣二二〇元
行政院新聞局出版登記證：局版臺業字第六〇九〇號
網址：www.fangoan.com.tw
電子信箱：fangoan@ms37.hinet.net

No.: D506-1

方廣文化出版品目錄〈一〉

夢參老和尚系列
書籍類

● 華 嚴

H203 淨行品講述
H224 梵行品新講
H205 華嚴經普賢行願品講述
H206 華嚴經疏論導讀
H208 淺說華嚴大意
HP01 大乘起信論淺述
H209 世主妙嚴品(三冊)【八十華嚴講述①②③】
H210 如來現相品・普賢三昧品【八十華嚴講述④】
H211 世界成就品・華藏世界品・毘盧遮那品【八十華嚴講述⑤】
H212 如來名號品・四聖諦品・光明覺品【八十華嚴講述⑥】
H213 菩薩問明品【八十華嚴講述⑦】

● 般 若

B401 般若心經
B406 金剛經
B409 淺說金剛經大意
B410 般若波羅蜜多心經講述

● 地藏三經

地藏經

D506 地藏菩薩本願經講述〈全套三冊〉
D516 淺說地藏經大意

占察經

D509 占察善惡業報經講記(附HIPS材質占察輪及修行手冊)
D512 占察善惡業報經新講《增訂版》

大乘大集地藏十輪經 D507〈全套六冊〉

D507-1 地藏菩薩的止觀法門〈序品 第一冊〉
D507-2 地藏菩薩的觀呼吸法門〈十輪品 第二冊〉
D507-3 地藏菩薩的戒律法門〈無依行品 第三冊〉
D507-4 地藏菩薩的解脫法門〈有依行品 第四冊〉
D507-5 地藏菩薩的懺悔法門〈懺悔品 善業道品 第五冊〉
D507-6 地藏菩薩的念佛法門〈福田相品 獲益囑累品 第六冊〉

方廣文化出版品目錄〈二〉

夢參老和尚系列

書籍類

● **楞 嚴**

LY01 淺說五十種禪定陰魔 —《楞嚴經》五十陰魔章

L345 楞嚴經淺釋 (全套三冊)

● **天台**

T305 妙法蓮華經導讀

● **開 示 錄**

S902 修行

Q905 向佛陀學習【增訂版】

Q906 禪・簡單啟示【增訂版】

Q907 正念

DVD

D-1A 世主妙嚴品《八十華嚴講述》(60講次30片珍藏版)

D-501 大乘大集地藏十輪經(上下集共73講次37片)

D-101 大方廣佛華嚴經《八十華嚴講述》

(繁體中文字幕 全套482講次 DVD 光碟452片)

CD

P-05 金剛般若波羅蜜經(16片精緻套裝)

錄音帶

P-02 地藏菩薩本願經(19卷)

方廣文化出版品目錄〈三〉

地藏系列

D503 地藏三經
(地藏菩薩本願經、大乘大集地藏十輪經、占察善惡業報經)
D511 占察善惡業報經行法 (占察拜懺本) (中摺本)

華嚴系列

H201 華嚴十地經論
H202 十住毘婆沙論
H207 大方廣佛華嚴經 (八十華嚴) (全套八冊)

般若系列

B402 小品般若經
B403A 大乘理趣六波羅蜜多經
B404A 能斷金剛經了義疏(附心經頌釋)
B408 摩訶般若波羅蜜經(中品般若)(全套三冊)

天台系列

T302 摩訶止觀
T303 無量義經 (中摺本)
T304 觀普賢菩薩行法經(中摺本)

部派論典系列

S901A 阿毘達磨法蘊足論
Q704 阿毗達磨俱舍論 (全套二冊)
S903 法句經(古譯本)(中摺本)

瑜伽唯識系列

U801 瑜伽師地論 (全套四冊)
U802A 大乘阿毗達磨集論
B803 成唯識論
B804A 大乘百法明門論解疏
B805 攝大乘論暨隨錄

憨山大師系列

HA01 楞嚴經通議(全套二冊)

方廣文化出版品目錄〈四〉

密宗系列

M001 菩提道次第略論釋
M002A 勝集密教王五次第教授善顯炬論
M003 入中論釋
M004 大乘寶要義論(諸經要集)
M006 菩提道次第略論
M007 寂天菩薩全集
M008 菩提道次第廣論
M010 菩提道次第修法筆記
M011 白度母修法(延壽法門修法講解)
M012 中陰-死亡時刻的解脫
M018 菩提道次第廣論集註(卷一～卷十三)
M019 佛教的本質-《佛教哲學與大手印導引》

能海上師系列

N601 般若波羅蜜多教授現證莊嚴論名句頌解
N602 菩提道次第論科頌講記
N345 戒定慧基本三學
N606 能海上師傳
N607 現證莊嚴論清涼記
N608 菩提道次第心論

論頌系列

L101 四部論頌
(釋量論頌 現證莊嚴論頌 入中論頌 俱舍論頌)
L102 中觀論頌 (中摺本)
L103 入菩薩行論頌 (中摺本)
L104A 彌勒菩薩五部論頌
L105A 龍樹菩薩論頌集
L106 中觀論頌釋
R001 入中論頌 (小摺本)

方廣文化出版品目錄〈五〉

南傳佛教系列

SE05 七種覺悟的因素
SE06 南傳大念處經(中摺本)
SE07 三十七道品導引手冊《阿羅漢的足跡》(增訂版)
SE08 內觀基礎《從身體中了悟解脫的真相》
SE09 緬甸禪坐《究竟的止觀之道》(增訂版)

其他系列

Q701 單老居士文集
Q702 肇論講義
Q703B 影 塵-倓虛老法師回憶錄
Q705 佛學小辭典 (隨身版)
ZA01 參 禪 《虛雲老和尚禪七開示》
ZA02 禪淨雙修 《虛雲老和尚開示錄》
Z005 《禪宗公案》-李潤生著

方廣文化事業有限公司
http://www.fangoan.com.tw